Francisco José Medrano

CICLOTURIMO DE MTB EN MALLORCA

ISBN papel: 978-84-686-8464-2
ISBN digital: 978-84-686-8465-9

Impreso en España

Editado por Bubok Publishing S.L

CICLOTURIMO DE MTB EN MALLORCA

Francisco José Medrano

"Para ser bueno sobre la bicicleta, hay que ser bueno en la mesa y alegre en la vida"

Jacques Anquetil

A mi tío Juanjo.

Los mapas que se utilizan proceden del Instituto Geográfico Nacional (IGN/CNIG).

Debo manifestar con agrado la amabilidad del equipo de Wikiloc quienes, no solo no me han puesto traba alguna a la utilización de sus herramientas sino que además me han animado a continuar con la publicación del presente libro.

Puedo escribir con agrado, sobre mi pertenencia al grupo ciclista mallorquín de BTT, MIR (Mallorca Iron Riders), de quien tan nutrido grupo he encontrado importantes aportes por sus conocimientos de pistas inéditas, amén de su inestimable compañía. Dicho esto y a riesgo de dejarme a alguno en el tintero, debo mencionar a David Rayo, Emilio Zamora (Biciarreglo), Javi Razola, José Antonio Pina, Marcos Fiol, Sergio Muñoz y Toni García.

Igualmente y en otro contexto, debo mencionar a Bertrand Gautier y a la entrañable pareja, Miquel y Susana.

Y para finalizar, mi más sincero agradecimiento a mi compañero de batallas y amigo, Pablo Moner, por su ayuda incondicional para la edición de este libro, y por haber sido un fantástico compañero de pedaleo que ha soportado estoicamente exploraciones muy duras, con muchas horas encima de la bici y en numerosas ocasiones, con condiciones meteorológicas muy adversas.

Foto de portada: Rafael García Vázquez

1-Introducción

Cómo cualquier proyecto que se acomete, probablemente, lo más difícil es arrancarlo. Esto es, disponemos de cuantiosa información y nos preguntamos cuánto de ella incluimos, cómo la plasmamos y que estilo de comunicación debemos seguir para mantener viva la atención del lector. Tras cuatro años de exploración, he conseguido acumular una gran cantidad de rutas que espero, tras diversas entregas, sirvan para hacer partícipes de mis experiencias a los amantes del ciclismo de montaña. Hay una gran eclosión del ciclismo en todas sus variantes, y ya no solo como una forma de transporte saludable, barata y ecológica, sino cómo una afición que atrae más adeptos por mor de darnos la oportunidad de acceder de una manera más o menos rápida, a bellos parajes, en montañas, valles, torrentes y calas.

En cada capítulo sobre cada ruta, se incluirá:

1º.-Una *Descripción General* del circuito, indicándose datos de interés cultural, algunas marcas de posición y mediciones.

2º.-Un mapa integral a escala 1:31.250, en donde se incluyen las marcas de posición numeradas.

3º.-*Puntos de Interés.*

4º.-*Marcas de Posición.*

5º. Dependiendo de las rutas, varios mapas en formato *OpenCycleMap*, a una escala mínima de 1:28.570, aunque en algún caso, he plasmado la escala 1:16.129.

Para un seguimiento más detallado de cada *ruta*, recomiendo el uso del apartado 4º, en donde se describe con exhaustividad cada paso a seguir.

Hubiera sido poco ambicioso presentar las rutas solo y exclusivamente en formato de papel. El uso cada vez más generalizado de GPS, me ha permitido cómo opción adicional, poner a disposición de los usuarios las rutas en formato GPX. En el capítulo 16, se explicará cómo accedemos a las rutas descritas.

Una de las tareas más complicadas ha sido la de clasificar entre pistas de BTT, propiamente dichas, y caminos con el suelo pavimentado. Hay ocasiones, en que estos últimos están en tan mal estado, que he tendido a incluirlos cómo tramos de BTT. Igualmente y cómo consecuencia de una múltiple alternancia entre pistas y caminos, he simplificado para el cálculo de % de pista o pavimento, agregando los tramos más pequeños a los inmediatamente contiguos de mayor longitud.

Esta primera entrega contiene 12 rutas por toda la isla. Mi intención es, mediante futuras entregas, sumergirnos por las distintas comarcas con una selección de las rutas más interesantes. La mayoría de las rutas discurrirán entre varios municipios y a veces entre distintas comarcas. En consecuencia y para facilitar la codificación de cada track:

1º.- Los dos primeros dígitos indicarán la comarca en donde se inicia la ruta.

2º.- Los dos siguientes dígitos nos informará sobre el municipio base por donde nos moveremos

3º.-Los dos últimos serán un mero ordinal.

He intentado evitar que las rutas plasmadas en el presente libro, discurran por sitios en donde existan restricciones de paso, aunque debo prevenir al ciclista que, desafortunadamente, existe la costumbre de muchos propietarios de arrogarse cómo propias servidumbres de paso, y/o poner barreras a senderos y pistas que son de uso público. También debo prevenir de los posibles cambios en los trazados que puedan acaecer, derivados del lógico devenir del tiempo. Procuraré estar al tanto de dichas modificaciones para proceder con la máxima celeridad a los cambios pertinentes en el track afectado.

Me veo en la obligación de recordar a los ciclistas lo importante de respetar el entorno y los silencios. Sugiero no realizar las rutas en grandes grupos en donde es más probable la algarabía y la molestia a los enclaves privados aledaños a cada ruta.

2.-Comarcas de Mallorca

Palma :
Palma de Mallorca

Serra de Tramuntana: Andratx Banyalbufar, Bunyola, Calvià, Deià, Escorca, Esporles, Estellencs, Fornalutx, Pollença, Pugpunyent, Sóller y Valldemossa.

Raiguer: Alaró, Alcúdia, Binissalem, Búger, Campanet, Consell, Inca Lloseta, Mancor de la Vall Marraxtí, Sa Pobla, Santa María del Camí y Selva.

Pla de Mallorca: Algaida, Ariany , Costitx, Lloret de Vistalegre, LLubí, María de la Salut, Montuïri, Muro, Petra, Porreres, San Joan, Santa Eugènia, Santa Margalida, Sencelles Sineu, Villafranca del Bonany.

Migjorn: Campos, Felanitx LLucmajor, Ses Salines, Santanyí.

Llevant: Artà, Capdepera, Manacor, Sant Llorenç de Cardassar, Son Servera.

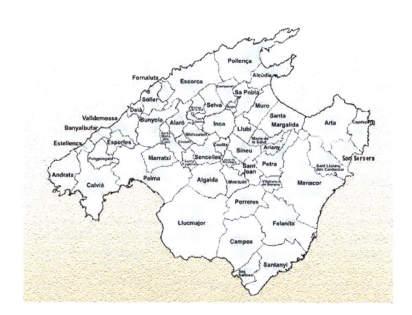

3.-Codificación de rutas

	Código Comarca
Comarcas	
LLevant	1
Migjorn	2
Palma	3
Pla de Mallorca	4
Raiguer	5
Serra de Tramuntana	6

Llevant	**1**	**Migjorn**	**2**
Artà	01	Campos	01
Capdepera	02	Felanitx	02
Manacor	03	LLucmajor	03
Sant Llorenç de Cardassar	04	Ses Salines	04
Son Servera	05	Santanyí	05

Palma	**3**
Palma de Mallorca	01

Pla de Mallorca	**4**		
Algaida	01	Porreres	10
Ariany	02	San Joan	11
Costitx	03	Santa Eugènia	12
LLoret de Vistalegre	04	Santa Margalida	13
LLubí	05	Sencelles	14
María de la Salut	06	Sineu	15
Montuïri	07	Villafranca de Bonany	16
Muro	08		
Petra	09		

Raiguer	**5**	Serra de Tramuntana	**6**
Alaró	01	Andratx	01
Alcúdia	02	Banyalbufar	02
Binissalem	03	Bunyola	03
Búger	04	Calvià	04
Campanet	05	Deià	05
Consell	06	Escorca	06
Inca	07	Esporles	07
LLoseta	08	Estellencs	08
Mancor de la Vall	09	Fornalutx	09
Marratxí	10	Pollença	10
Sa Pobla	11	Sóller	11
Santa María del Camí	12	Valldemossa	12
Selva	13		

04.-Ruta 01-01-01-Artá-S'Arenalet-Aubarca

Comarca: Llevant	Municipio: Artà
Longitud: 33,40 km	Tiempo estimado: 3h 34'
Desnivel positivo: 743 m	Desnivel negativo: 753 m
Dificultad técnica: Difícil	Dureza: Alta
% de pistas: 62,53%	% de pavimento: 37,47%

Descripción General:

Ruta de dureza alta y técnicamente difícil, saliendo de Artà y por el Park de LLevant, que discurrirá por el Camí dels Presos y el tramo próximo al mar entre Arenalet d'Aubarca y la torre de vigilancia en el Morro d' Albarca. Iremos por:

-Camí dels Presos y Refugi des Soguers

-Bordearemos las costa desde S'Arenalet de Aubarca, Platja de Sa Fon Celada, Arenalet de Verge, Na Balladora, San Fon Salada y Es Seulonar, hasta el Morro de Aubarca.

- La torre de Albarca o des Matzocs.

-Ascenso desde Cala Torta hasta conectar con el Camí de Son Puça.

Nos dirigimos hacia el Santuario de Sant Salvador y, dejándolo a nuestra derecha, continuamos por el carrer del Pou Nou. Podemos observar la indicación *Bosc Tui Wald* (001). Continuamos todo el tiempo por la MA-3333.Vemos otro indicador en el que aparece la indicación *Parc Natural-Aubarca* (002).

Se continúa 3.400 m hasta toparnos con otro indicador en el que se señala *Parc Natural-Bosc Tui Wald*, que nos desvía a la derecha y que nos lleva a un principio de pista en donde a escasos metros, atravesamos una puerta de madera (005). A partir de este punto la pendiente se acentúa, dejamos a nuestra derecha una construcción y, al poco, culminamos la subida.

Continuamos 2 km por una pista ancha y con magníficas vistas, que nos lleva hasta una nueva pista que cogemos a nuestra derecha y que en el que se nos indica *GR222-Camí del Presos* (006).

Desde este punto hasta el Refugi des Soguers, debemos tener precaución por ser una bajada con algunos tramos técnicos sobre piedra suelta, arenilla y algunas curvas cerradas. En el mencionado Refugi des Soguers, la pista se ensancha y se hace más fácil el tránsito hasta la playa de S'Arenalet. La bajada, de 4.700 m y con algunos repechos, hará las delicias de los amantes del BTT.

Bordeamos la costa 700 m hasta alcanzar la Platja de Sa Font Celada. En este punto y tras atravesar la playa, la ruta se hace muy difícil hasta, a 2.200 m, alcanzar la Torre de Aubarca.

Se bordea la costa sobre un complicado roquedo, con tramos difícilmente ciclables, y que se remata con una fuerte pendiente hasta llegar a la Torre de Aubarca.

En la web de *artamallorca.travel* podremos leer: *"La torre de Albarca o des Matzocs se emplaza sobre un acantilado costero en la cala dels Matzocs. Fue construida por orden de la Universidad de Artá (Ayuntamiento) en 1751 como punto de vigilancia del Canal de Menorca, a causa de la ocupación británica de la isla vecina. Pese a que popularmente se la conoce por estas dos denominaciones, su nombre originario es el de Torre de San Fernando. Se trata de un edificio troncocónico de dos plantas y terrado, de unos 11 metros de altura. El acceso original se situaba en el piso superior, abriéndose posteriormente uno en la planta baja. En la planta inferior, subdividida en tres espacios, se ubicaba el polvorín. Mediante una escalera de caracol se podía acceder hasta el terrado, donde aún se conserva un cañón".*

Nos dirigimos hacia el oeste y pedaleamos por un bonito pinar hasta alcanzar una cancela (015).A 900 m nos topamos con una encrucijada que debemos tomar a nuestra izquierda. Al poco volvemos a encontrar otra encrucijada en donde aparece el Indicador: *Itinerario 7-Hosts Vells d'Albarca.* Cogemos a nuestra derecha y ascendemos 4.200 m. A partir de este punto la pendiente se acentúa, alcanzando en algunos tramos hasta un desnivel de 20%. Son varias las barreras o puertas con las que nos encontramos pero que se atraviesan sin problema alguno. A unos 1.100 m de la cumbre, atravesamos una última barrera de metal en donde termina la pista.

Ya sobre pavimento, continuamos 2.500 m por el Camí de Son Puça hasta alcanzar una cruz de piedra. Cogemos a nuestra derecha y, a escasos metros, volvemos a toparnos con la marca 002 y, cogiendo a nuestra izquierda, nos dirigimos de nuevo hacia el casco urbano de Artà, finalizando la ruta.

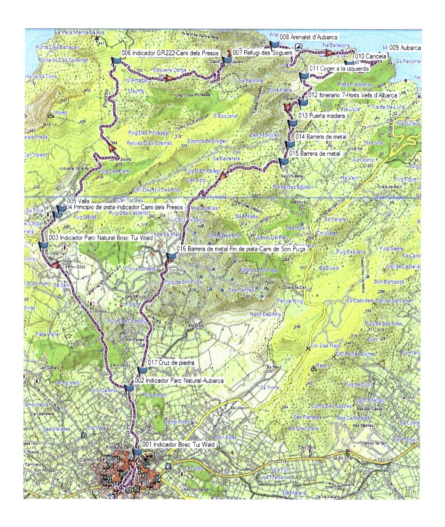

puntos de interés

001 Indicador Bosc Tui Wald

002 Indicador Parc Natural-Aubarca

003 Indicador Parc Natural-Bosc Tui Wald

004 Principio de pista-Indicador Camí dels Presos

005 Valla

006 Indicador GR222-Camí dels Presos

007 Refugi des Soguers

008 Arenalet d'Aubarca

009 Aubarca

010 Cancela

011 Coger a la izquierda

012 Itinerario 7-Horts Vells d'Albarca

013 Puerta madera

014 Barrera de metal

015 Barrera de metal

016 Barrera de metal-Fin de pista-Camí de Son Puça

017 Cruz de piedra

<u>Marcas de Posición</u>

Punto de partida: Artà. Atravesamos el municipio, buscando el Santuario de Sant Salvador, que rodeamos por su izquierda por el carrer del Pou Nou.

001 Indicador Bosc Tui Wald. Se continúa por la MA-3333.

002 Indicador Parc Natural-Aubarca. Seguimos a la izquierda.

Pedaleamos 3.350 m por la MA-3333 para desviarnos a la derecha.

003 Indicador Parc Natural-Bosc Tui Wald. Continuamos 730 m.

004 Principio de pista-Indicador Camí dels Presos.

005 Valla. Se atraviesa y se continúa durante 4.400 m por una pista ancha y que zigzaguea hasta el desvío de la GR222.

006 Indicador GR222-Camí dels Presos. Comienzo de bajada técnica hasta el Refugi des Soguers.

007 Refugi de Soguers. Se continúa descendiendo por una pista que se ensancha hasta la Playa de S'Arenalet.

008 S'Arenalet d'Aubarca. Se pedalea por una pista que bordea la costa hasta alcanzar la Platja de Sa Font Celada. Girando a la derecha, nos metemos hacia el interior, atentos a un desvío a nuestra izquierda que nos adentra en la misma playa. La atravesamos y subimos por una estrecha y pedregosa vereda que nos permite continuar bordeando la costa durante 2.200 m. En este tramo debemos tener mucha precaución por lo complicado del terreno, muy pedregoso y con tramos difícilmente ciclables. El último tramo, consistente en una pendiente con gran desnivel y en el que hay que arrastrar la bici, nos lleva hasta un collado en el que enlazamos con una pista corta, estrecha y pedregosa que, bordeando de oeste a este, nos permite alcanzar la Torre de Aubarca.

009 Aubarca. Nos dirigimos 800 m hacia el oeste, atravesando un pinar, hasta encontrar una cancela que se atraviesa.

010 Se continúa 900 m hasta toparnos con un cruce que cogemos a nuestra izquierda.

011 Coger a la izquierda. Se continúa de bajada.

012 Itinerario 7-Horts Vells d'Albarca. Se sigue la derecha y comenzamos a escalar por una subida bastante exigente con algunos tramos con fuerte desnivel.

013 Puerta de madera.

014 Barrera de metal.

015 Barrera de metal. Se continúa 3.500 m hasta la siguiente barrera de metal, que atravesamos. Fin de pista. Se continúa por Camí de Puça.

016 Barrera de metal-Fin de pista-Camí de Son Puça. Se pedalea 2.250 m por pavimento hasta alcanzar la cruz de piedra.

017 Cruz de piedra. Cogemos a nuestra derecha hasta volver a converger con la marca 002 y, tomando a nuestra izquierda, continuamos hasta alcanzar el casco urbano y nuestro punto de origen. Fin de ruta.

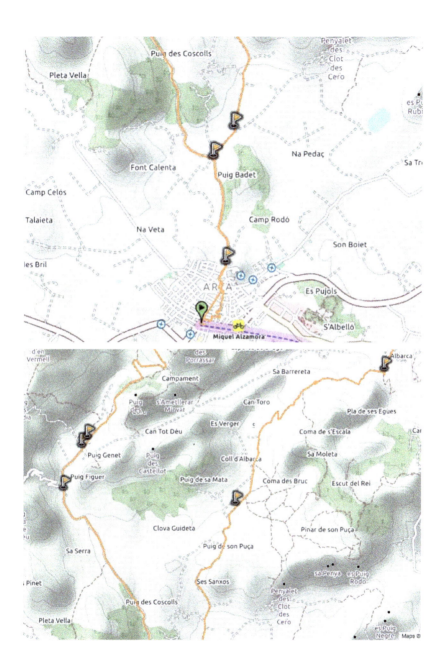

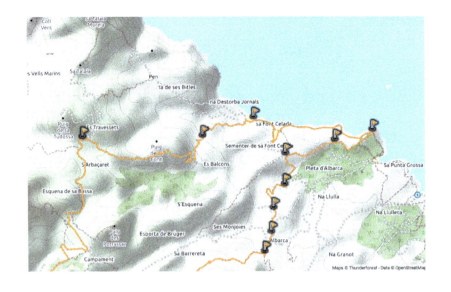

05.-Ruta 01-03-01-Son Macià-Cales de Mallorca-Son Na Moixa-Burros

Comarca: Llevant	Municipio: Son Macià
Longitud: 36,80 km	Tiempo estimado: 3h 43'
Desnivel positivo: 711 m	Desnivel negativo: 710 m
Dificultad técnica: Fácil	Dureza: Moderada
% de pistas: 54,27%	% de pavimento: 45,73%

Descripción General:

Ruta de dureza moderada y técnicamente fácil, saliendo de Son Macià, en el que se entremezclarán: la zona de la costa por Cales de Mallorca, los alrededores de Na Moixa y el área comprendida entre el Turó de Ses Casotes, el Clot dèn Quart y la propia Son Macià. Iremos por:

-Camí de Sa Mola.

-Cales de Mallorca desde Cala Antena hasta Cala Magraner, dejando a nuestro este: El Caló des Soldat, Cala Bota, Cala Pilota y Cala Virgili.

-Un buen tramo de carretera por la MA-4014, Finca de Sa Mola Vell y Camí de Na Moixa.

-Pista entre el Turó de Ses Casotas y Son Ventura.

-Camí de Son Macià y por el tramo popularmente denominado de *Los Burros*.

Abandonamos Son Macià por el Disseminat Sa Plana, y enlazamos con el Camí de Sa Mola. Ascendemos alrededor de 1.800 m, y a continuación, descendemos 2.400 m por un desfiladero desde donde podemos apreciar la Mola del Fangar a nuestra derecha. Tramo muy tranquilo y limpio, con apenas tráfico, que nos lleva hasta un desvío a nuestra derecha en la marca 003.

En *Viquipèdia* leeremos: "*Son Macià se asienta en un valle, rodeado por numerosas colinas de mediana altura entre las que destacaremos: Sa Muntanya de sa Vall, Sa Penya des Corb, Es Picot i Sant Josep.*

Dentro de la zona hay un número considerable de yacimientos arqueológicos, cómo el dolmen de Son Vaques; cuevas naturales y artificiales, que han servido cómo lugares de enterramientos, cómo es el caso des Picor des Fangar; y del período talayótico, el poblado de s'Hospitalet Vell.

Son numerosas las posesiones, oratorios y capillas en el área de Son Macià. Una de les capillas que aún permanece en el recuerdo de la gente de Son Macià, es la Capilla de sa Mola Nova, pintada por Don Llorenç Bonnín."

En la marca 003, cogemos a nuestra derecha una pista que nos lleva directamente a la MA-4014. Nos desviamos a nuestra izquierda y circulamos 500 m, con mucha precaución, hasta desviarnos a nuestra derecha (005) por una nueva pista.

Tramo muy cómodo y sin complicaciones hasta alcanzar Cales de Mallorca. En la marca 006 nos desviamos a nuestra izquierda por el carrer Aucanada e, inmediatamente, nos desviamos a nuestra derecha por el carrer Cala Antena hasta el final de la calle. Dejando a nuestra derecha el hotel que se ubica en el mismo cabo, circulamos por el paseo que nos lleva hasta la misma Cala Antena. La salida de la cala, se realiza por una pendiente pronunciada. En los sucesivo, iremos por tramos con un firme pedregoso, entre monte bajo y un entorno tranquilo y limpio.

Volvemos a pedalear brevemente por el carrer Cala Antena y atravesamos una valla de piedra en donde reza *Finca Roig* (marca 010). A partir de este punto la pista se ensancha; más adelante bajamos hasta Cala Bota y, volviendo sobre nuestros pasos, continuamos para llegar hasta Ses Meleres en donde podremos disfrutar de fantásticas vistas. Desde aquí, por un suelo de piedra muy rugoso, podremos apreciar a nuestro sur, Cala Virgili, y a nuestro oeste y norte, Cala Pilota y Cala Magraner, respectivamente.

Nos dirigimos hacia el interior por el margen derecho. Durante algunos metros la pista se estrecha; atravesamos una puerta giratoria y seguimos un tramo por el propio torrente. Poco más adelante la pista se ensancha y alcanzamos Son Josep Nou en donde atravesamos otra puerta de metal (015).

Un buen tramo recto nos devuelve a la MA-4014. Giramos a nuestra izquierda y continuamos 2.400 m hasta desviarnos a nuestra derecha por la carretera de Cales de Mallorca. Circulamos 2 km y medio por esta carretera secundaria, con apenas tráfico, en constante subida aunque con algunos dientes de sierra, para desviarnos a nuestra derecha y pergeñar, a lo largo de 1 km, durísimas rampas hasta alcanzar la marca 017. Bordeamos por el noreste la Finca de Son Mola Vell y, una pista en bajada, nos lleva hasta el Camí de Na Moixa. Cogemos a nuestra derecha.

Tramo entretenido, de alrededor de 2 km y medio, que nos lleva hasta la MA-015. Cogemos a la izquierda y continuamos por la carretera

950 m hasta alcanzar la marca 020. Abandonamos la carretera por la izquierda, para volver a conectar con una pista de tierra ancha y sin dificultad técnica. Estamos atentos a las marca 021 y 022 en donde cogemos a nuestra derecha, para ir aproximándonos a la popular cuesta de *Los burros*. Subida dura en el que al desnivel se añade un suelo resbaladizo por abundar mucha piedrecilla suelta. Ascendemos 1.250 m, en algunos casos con desniveles del 17%. A partir de la culminación de *Los burros* en Son LLodrà Vell (024), descendemos hasta alcanzar el pueblo, y volver a nuestro punto de origen.

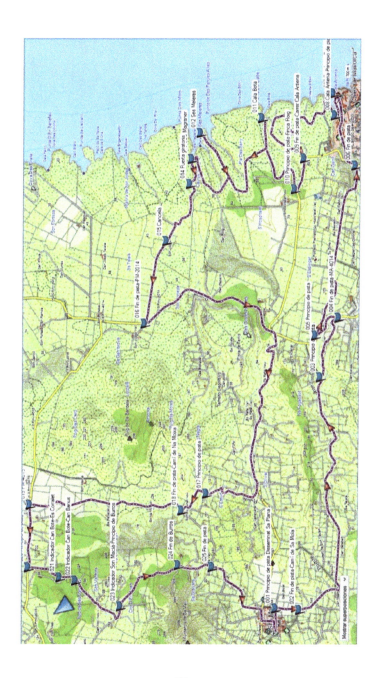

puntos de interés

ℹ️	001 Principio de pista.Disseminat Sa Plana
Y	002 Fin de pista-Camí de Sa Mola
Y	003 Principio de pista
Y	004 Fin de pista-MA-4014
Y	005 Principio de pista
Y	006 Fin de pista
ℹ️	007 Escaleras.Paseo
🏖️	008 Cala Antena-Principio de pista
Y	009 Fin de pista-Carrer Cala Antena
🚶	010 Principio de pista-Finca Roig
🏖️	011 Cala Bota
🔭	012 Ses Meleres
🏖️	013 Cala Magraner
🚶	014 Puerta giratoria
🚶	015 Cancela
Y	016 Fin de pista-PM-2014
⛺	017 Principio de pista
Y	018 Fin de pista-Camí de Na Moixa
Y	019 PM-4015
Y	020 Principio de pista
ℹ️	021 Indicador Can Bote-Es Corralet
ℹ️	022 Indicador Can Bote-Can Banus
ℹ️	023 Indicador Son Macià-Principio de Burros
⛺	024 Fin de Burros
ℹ️	025 Fin de pista

<u>Marcas de Posición</u>

Punto de partida: Son Macià (Manacor).

001 Principio de pista. Disseminat Sa Plana.

002 Final de pista. Se enlaza con el Camí de Sa Mola. Giramos hacia nuestra izquierda y ascendemos 1.800 m. Descendemos 2.400 m hasta alcanzar la marca 003 y coger a la derecha.

003 Principio pista. Pedaleamos durante 1 km hasta alcanzar la MA-4014.

004 Fin de pista. Nos desviamos a nuestra izquierda por la MA-2014. Pedaleamos 500 m para desviarnos a nuestra derecha por un principio de pista.

005 Principio de pista junto al S'Espinagar Nou. Tramo cómodo muy recto, de alrededor de 3 km, que nos llevar hasta el carrer Aucanada.

006 Fin de pista. Cogemos a nuestra izquierda y, tras 200 m, enlazamos hacia nuestra derecha por el carrer Cala Antena. Continuamos hasta el final de la calle y bordeamos por la izquierda el hotel anejo que se ubica en el cabo.

007 Escaleras. Principio por el paseo que bordea Cala Antena por el sur. Bajamos por otro tramo de escaleras, antes de alcanzar Cala Antena.

008 Cala Antena. Escalamos un pequeño tramo por el norte, en sentido este, hasta abandonar la cala, y pedaleamos por una pista con el firme rocoso y entre monte bajo. Rodeamos el denominado Puig Bota y volvemos a enlazar por el carrer Cala Antena.

009 Fin de pista. Giramos a nuestra derecha y circulamos 500 m hasta volver enlazar con una pista a nuestra derecha.

010 Principio de pista. Franqueamos una barrera por nuestra derecha y observamos la indicación de *Finca Roig*.

Pista ancha, con el suelo firme. A 1 km, estamos atentos para desviarnos a nuestra derecha hacia Cala Bota.

011 Cala Bota. Muy pedregosa y con una pequeña cueva justo en el acceso a la cala. Ascendemos de vuelta y nos desviamos a nuestra derecha en el punto de desvío anterior. Pedaleamos 2 km, hasta desviarnos a nuestra derecha buscando Ses Meleres.

012 Ses Meleres. Fantástica panorámica en que podremos ver Cala Virgili al sur y el acceso a Cala Pilota y, a su derecha, Cala Magraner.

013 Cala Magraner. Pedaleamos hacia el interior a la derecha del torrente.

014 Puerta giratoria. Se continúa brevemente por el torrente y hacia la derecha.

015 Atravesar cancela. Por una pista recta, buscamos la MA-4014.

016 Giramos a nuestra izquierda y circulamos 2.400 m por la MA-4014, para desviarnos a nuestra derecha por la carretera de Cales de Mallorca. Continuamos 2 km y medio y nos desviamos a nuestra derecha. Escalamos 1 km por duras rampas hasta alcanzar una pista. Rodeamos por el oeste la Finca Son Mola Vell.

017 Principio de pista. Buscamos el Camí de Na Moixa.

018 Giramos a nuestra derecha hasta alcanzar la MA-4015.

019 Giramos a nuestra izquierda. Precaución por ser una carretera transitada. Continuamos 950 m hasta la marca 020. Cogemos a nuestra izquierda.

020 Principio de pista. A 500 m encontramos la siguiente marca.

021 Indicador Can Bote-Es Corralet. Continuar 270 m hasta la siguiente marca.

022 Indicador Can Bote-Can Banus. Pedaleamos 850 m para desviarnos a nuestra izquierda. Continuamos otros 210 m donde nos encontramos el indicador *Son Macià*.

023 Indicador Son Macià-Principio de *los burros*. Ascendemos 1.200 m.

024 Fin de *los burros*. Se continúa hasta la 025.

025 Fin de pista. Buscamos Son Macià al que accedemos por el carrer S'Hospitalet y el carrer Sol. Fin de ruta.

06.-Ruta 02-01-02-Campos-Cas Concos des Cavaller

Comarca: Migjorn · Municipio: Campos

Longitud: 45,40 km · Tiempo estimado: 3h 15'

Desnivel positivo: 595 m · Desnivel negativo: 581 m

Dificultad técnica: Fácil · Dureza: Baja

% de pistas: 40,20% · % de pavimento: 59,80%

Descripción General:

Ruta fácil, con mucha alternancia de pistas y pavimento, por bonitos parajes.

Salimos de Campos cogiendo el Camí de Son Xorc. A 600 m nos desviamos a la izquierda por la Ctra. Vieja de Felanitx y continuamos 2.200 m hasta alcanzar la MA-5120. Atravesamos la carretera de Felanitx y, por una pista de tierra (002), circulamos 2.400 m paralelos a la MA-5120 para girar a la derecha y volvernos a topar con la carretera. Giramos a nuestra izquierda y, tras 200 m, enlazamos a nuestra izquierda con una nueva pista. Continuamos 500 m, paralelos a la carretera, y giramos a la derecha para volver a enlazar con la MA-5120.

Volvemos a pedalear 240 m por la carretera, hasta girar a nuestra derecha y enlazar con un principio de pista. Circulamos 4 km hasta desviarnos a nuestra izquierda y, tras un pequeño tramo por el Camí de Ses Salines, alcanzamos la marca 003.

Bajo el indicador de *Sa Clota*, nos desviamos a nuestra derecha hacia el suroeste y continuamos 1.500 m por el Camí de Son Ramonet hasta desviarnos a nuestra izquierda. Inmediatamente nos topamos, junto a Can

Tibur, con un indicador en que se despliega *Sa Clota, Pou de Sa Sinia y Alzines de Firella*. Seguimos rectos y, en la marca 005, giramos 360 grados por el Camí de Firella. En la encrucijada observamos la indicación, *Es Quetgle, Alzines de Firella, Pou de Sa Sinia y Ses Sinies.*

Continuamos 1 km hacia el sur y nos desviamos a nuestra izquierda para enlazar con el Camí des Castell y, a continuación, con la llamada Volta 5.

Continuamos hasta la marca 006 y cogemos a nuestra derecha un principio de pista que, tras 1 km y medio, nos lleva a la marca 007. Podremos apreciar a nuestra izquierda el *Castell de Santueri. Este fue reconstruido sobre las ruinas de una fortificación árabe del siglo XIV, bajo las cuales, se han encontrado restos bizantinos y, que con toda probabilidad, en su origen, constituyeron un asentamiento militar romano.*

Continuamos por el Camí de Binifarda hasta alcanzar la MA-4016 y, a continuación, la población de Carritxó, en donde se ubica la *Iglesia de San Antonio, datada en el 1.665.*

Siguiendo hacia el sur por el Puig de Ses Donartes, circulamos 1 km y medio hasta un principio de pista en la marca 008. Alcanzamos la C-714, por la que rodaremos un pequeño tramo hasta desviarnos inmediatamente a nuestra derecha. En la marca 009 finaliza la pista y, poco más adelante, nos topamos con una carretera que, a nuestra derecha, nos llevará a *S'Alquería Blanca*, pequeño núcleo de población perteneciente a Santany. *En el siglo XIV era una extensa finca. La presión turca a finales del siglo XVI provocó que se iniciaran algunos asentamientos de población por el área, que se fueron agrupando durante el siglo XVII. Destacamos Sa*

Torre d'n Timoner, del siglo XVI, y la Iglesia de Sant Josep, que fue iniciada
a principios del siglo XIX y acabada en el 1.863.

Abandonamos Sa' Alquería Blanca por el Camí des Pou del Rei y, tras coger la curva a la izquierda, nos desviamos a nuestra derecha por Darrere de Consolació hasta alcanzar la marca 011. Avanzamos por el Camí de Pujolet hasta toparnos, en la marca 012, con el Camí des Puig Gross. Continuamos 1 km hasta la C-714. Cogemos a la izquierda y llegamos a Cas Concós des Cavaller.

Cas Concos de Cavaller es una población que pertenece a Felanitx
y cuyos orígenes se remontan al siglo XVI. Su nombre se deriva de la familia
Obrador Conco y de la Caballería de Sa Galera. El pueblo nace en el siglo
XVIII, a partir de la concentración de casas en torno a un oratorio,
produciéndose su despegue definitivo a lo largo del siglo XIX.
El edificio más emblemático del pueblo, lo constituye la Iglesia de la
Inmaculada Concepción.

Abandonamos el pueblo (014) por el Camí des Carreró Llarg. Tras dejar a nuestro lado Sa Romeguera (015), seguimos a nuestra derecha 1.750 m, por una pista que nos lleva hasta el Camí de Ses Salines. Giramos a nuestra izquierda e inmediatamente nos desviamos a la derecha por el Camí de Son Menut. Tras zigzaguear y a partir de la marca 017, pedaleamos por caminos secundarios, rodadores y muy pintorescos en donde destacaremos un bonito pinar que alberga diversas cuevas.
Poco más adelante, enlazamos con el Cami des Cuatre Pins y con el Camí de Son Xorc que nos lleva al punto de partida.

- 30 -

puntos de interés

001 Camí de Son Xorc

002 Principio de pista

003 Fin de pista Indicador de Sa Clota

004 Can Tiburs-Indicador de Sa Clota, Pou de Sa Sinia y Alzines de Firella

005 Indicador de Es Quetgle, Alzines de Firella, Pou de Sa Sinia, Ses Sinies

006 Principio pista

007 Fin de pista

008 Principio pista

009 Fin de pista

010 Principio pista

011 Camí des Pujolet

012 Camí des Puig Gross

013 Fin de pista

014 Cami des Carreró Llarg

015 Principio de pista

016 Indicador Camí de Son Menut-Camí de Son Teuler

017 Fin de pista

<u>Marcas de Posición</u>

Punto de partida: Salimos de la rotonda por la Ronda del Rei Joan Carles I e inmediatamente, en el primer cruce, nos desviamos a nuestra izquierda por el Cami de Son Xorc.

001 Cogemos el Camí de Son Xorc y en la primera bifurcación, nos desviamos a la izquierda por la Ctra. Vieja de Felanitx.

002 Precaución. Atravesamos la MA-5120 y cogemos un principio de pista. Pedaleamos 2.400 m y giramos a la derecha hasta toparnos de nuevo con la MA-5120. Continuamos 200 m, para volver a introducirnos a nuestra izquierda por un principio de pista. Continuamos 500 m, paralelos a la carretera, y giramos a la derecha para volver a enlazar con la MA-5120.

Continuamos 240 m por la carretera, en sentido Felanitx, para coger un desvío a nuestra derecha. Seguimos pedaleando a lo largo de 5.400 m hasta alcanzar la siguiente marca.

003 Fin de pista. Nos desviamos a la derecha. Indicador de Sa Clota. Pedaleamos 2 km hasta alcanzar la marca 004.

004 Can Tiburs. Indicador de de Sa Clota, Pou de Sa Sinia y Alzines de Firella. Se continúa algo más de 1 km hasta la siguiente marca.

005 Nos desviamos a la derecha. Indicador de Es Quetgle, Alzines de Firella, Pou de Sa Sinia y Ses Sinies. Por el Cami de Firella y hacia el sur, pedaleamos 900 m para desviarnos a nuestra izquierda hasta alcanzar la MA-14. Cogemos a nuestra a derecha para inmediatamente desviarnos a nuestra izquierda por el Camí des Castell. Continuamos 1.300 m hasta alcanzar un principio de pista en la marca 006.

006 Principio de pista. Cogemos a nuestra derecha y pedaleamos 1.500 m hasta la marca 007.

007 Fin de pista. Continuamos 180 m y nos desviamos a nuestra derecha hasta la MA-4016. Cogemos a la izquierda hasta alcanzar Es Carritxó. Lo atravesamos y nos desviamos a la derecha, pedaleando 1.400 m hacia el suroeste, hasta toparnos con un principio de pista.

008 Principio de pista. Continuamos 1.000 m hacia el sur hasta toparnos con una carretera. Cogemos a nuestra izquierda y, tras 290 m, nos desviamos a nuestra derecha. Seguimos 220 m para desviarnos a nuestra izquierda para alcanzar un fin de pista en la marca 009.

009 Fin de pista. Se continúa 510 m y nos desviamos a nuestra derecha. Seguimos hasta S'Alquería Blanca a la que accedemos por el carrer dén Miguel de Cervantes. Nos desviamos a nuestra derecha por el Carrer Ramón LLull y abandonamos el pueblo por al Camí des Pou del Rei. Continuamos 760 m hasta alcanzar un principio de pista.

010 Principio de pista. Cogemos a nuestra derecha y circulamos 500 m en sentido el Turó des Carritx, hasta alcanzar la siguiente marca.

011 Camí des Pujolet. Cogemos a nuestra derecha hasta alcanzar el Camí des Puig Gross.

012 Camí des Puig Gross. Cogemos a nuestra izquierda y continuamos 1.000 m hasta la siguiente marca.

013 Fin de pista. Nos desviamos a la izquierda y pedaleamos 1.600 m hasta la MA-14/C-714 para inmediatamente llegar a Cas Concos de Cavaller. Atravesamos el pueblo buscando el Camí des Carreró LLarg.

014 Camí des Carreró LLarg. Circulamos 720 m hasta dejarlo por nuestra derecha. Continuamos 1.400 m para desviarnos a nuestra izquierda y llegar a un principio de pista.

015 Principio de pista. A 1.750 m conectamos con el Cami Ses Salines. Giramos a nuestra izquierda hasta Can Salines Vell, en donde nos desviamos a nuestra derecha.

016 Indicador Camí de Son Menut y Camí de Son Teuler. Rodamos 1.240 m y, en la bifurcación, cogemos a nuestra izquierda. A 330 m, cogemos a la izquierda e inmediatamente a la derecha hasta alcanzar un fin de pista.

017 Fin de pista. Seguimos 7 km, para alcanzar nuestro punto de origen al que llegamos, en el último tramo, por el Camí Xorc. Fin de ruta.

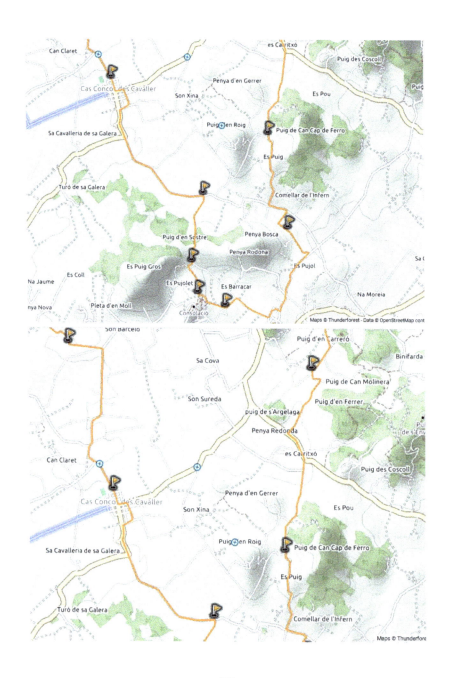

07.-Ruta 02-03-01-Son Noguera-Cala Pi

Comarca: Migjorn

Municipio: LLucmajor

Longitud: 49,40 Km

Tiempo estimado: 3h 20'

Desnivel positivo: 286 m

Desnivel negativo: 335 m

Dificultad técnica: Fácil

Dureza: Baja

% de pistas: 16,40%

% de pavimento: 82,60%

Descripción General:

Ruta muy rodadora, fácil, en que saliendo del Polígono de Son Noguera sito en Llucmajor, discurre en su mayoría por caminos secundarios con apenas tráfico. Destacaremos:

-El poblado talayótico de Capocorb.

-Cala Pi.

-Vallgornera.

Abandonamos Son Noguera por el carrer Cas Rossos, al norte del polígono, y cogemos un principio de pista que zigzagueando nos lleva hasta el Camí de Son Rubí o Son Perdiuet. Giramos a la izquierda hasta alcanzar el Camí de Sa Talaia Romanina. Los cogemos a la izquierda y pedaleamos hasta cruzar la MA-19 y enlazar con el Camí de Son Granada. Tras una larga recta de 1.500 m, nos topamos con el Camí de Palmer. Giramos a la izquierda y continuamos hasta atravesar el Camí de Sa Torre y enlazar, en la marca 003, con el Carreró de Cas Frares. Continuamos hasta la marca 004 y giramos a la izquierda por el Camí de S'Aguila.

Pedaleamos 6.600 m hasta llegar, en la marca 005, al Camí de Betlem. Bordeamos Capococorb por el norte, atravesamos Cas Busso y alcanzamos la MA-6014.

En *Wikipedia* podremos leer: *"El poblado prehistórico de **Capocorb Vell** es uno de los yacimientos arqueológicos más monumentales de Mallorca, y se encuadra en la Cultura talayótica, aunque tuvo una perduración mucho más extensa, hasta entrada la Edad media. Las ruinas alcanzan una extensión de medio kilómetro, donde hay cuatro talayotes circulares, tres talayotes cuadrados y un túmulo, todos alineados aproximadamente; y hay otro talayote circular fuera de la alineación."*

Continuamos 1.500 m por la carretera y, a nuestra derecha (013), cogemos por un principio de pista, el Camí Vell de Cala Pi. Descendemos por una pista con algunos tramos rocosos hasta alcanzar la encrucijada marcada cómo 008. En este primer paso, continuamos 1.500 m hasta la marca 009, para enlazar con el carrer Betlem. Giramos a la izquierda y nos dirigimos hasta Cala Pi en donde podremos disfrutar de unas fantásticas vistas. *Hay una torre de defensa del siglo XVI y al oeste, una playa de arena fina que protegida por dos paredes verticales, penetra medio kilómetro hacia el interior.*

Atravesamos la urbanización hacia el este por el carrer Penyes y, girando a la izquierda, enlazamos con el carrer Albéniz por el que continuamos hasta desviarnos a la izquierda por el Camí Vallgornera. Pedaleamos 1.750 m hasta desviarnos a la izquierda, en la marca 012, por una pista que nos lleva hasta *Vallgornera Nou que, segregada de la antigua posesión de Vallgornera Vell, ya aparece documentada en 1.631.*

Tras atravesar la vieja construcción, pedaleamos por el Camí de Son Moro. La pista se estrecha y discurre entre vegetación. Continuamos hasta enlazar con la encrucijada 008 y giramos a la derecha ascendiendo por el Camí Vell de Cala Pi. Atravesamos la MA-6014 y, hacia el noreste continuamos 2.200 por el Camí Vell de Cala Pi por un principio de pista (013). Veremos a nuestra izquierda una gran cantera de marés y, poco más adelante, la finca de Son Albertí, ya próxima a la marca 014 en donde termina la pista.

Tras la marca 014 y hacia el norte, ascendemos 8 km, progresivamente, hasta desviarnos a la izquierda por el Camí de Palmer (015) .Cruzamos el Camí de Cap Blanc, el Camí de S'Aguila y el Camí de Sa Torre para alcanzar la rotonda que nos permite volver al punto de origen en Son Noguera.

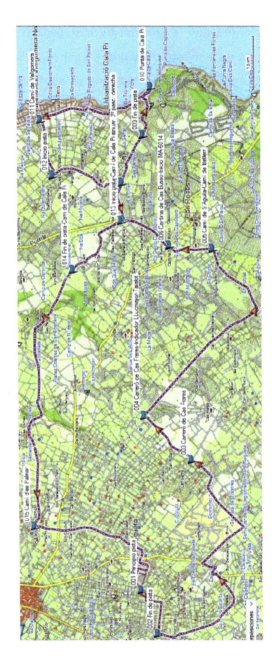

puntos de interés

001 Principio pista

002 Fin de pista

003 Carreró de Cas Frares

004 Carreró de Cas Frares-Indicador LLucmajor-Tailot

005 Camí de S'Aguila-Camí de Betlem

006 Cantina de Cas Busso-Inicio PMV-6014

007 Inicio pista-Camí Vell de Cala Pi

008 Cruce-Continuar

009 Fin de pista

010 Punta de Cala Pi

011 Camí de Vallgornera

012 Inicio pista

013 Inicio pista-Camí de Cala Pi

014 Fin de pista-Cami de Cala Pi

015 Camí d'es Palmer

Marcas de Posición

Punto de partida: Polígono de Son Noguera. Salida 22 de la MA-19; Autopista de LLevant. Cogemos el carrer Rafalet hasta enlazar con el carrer Polígono Son Noguera que tomamos a la izquierda. Continuamos hasta el final de la calle y giramos a la izquierda por el carrer Cas Rossos que termina poco más delante en la marca 001.

001 Principio de pista. A escasos metros cogemos a la izquierda (justo al final del carrer Cas Rossos) y, tras un giro a la derecha, otro a la izquierda y el último a la derecha, seguimos hasta alcanzar el Camí de Son Rubí o Son Perdiuet.

002 Giramos a la izquierda hasta alcanzar el Camí de sa Talaia Romanina. Giramos a la izquierda y circulamos 3.300 m para enlazar con la MA-6020 y toparnos con una rotonda que abandonamos por la 2ª salida. Atravesamos la MA-19 y nos volvemos a topar con otra rotonda que dejamos por la 2ª salida. A escasos metros y en el primer desvío a la derecha, enlazamos con el Camí de Son Granada.

Continuamos 1.500 m y, bordeando el Golf de Son Antem, alcanzamos el Camí d'es Palmer. Giramos a la izquierda y continuamos 2.600 m para atravesar el Camí de Sa Torre.

003 Cogemos el Carreró de Cas Frares y pedaleamos hasta llegar al Camí S'Aguila.

004 Carreró de Cas Frares-Indicador LLucmajor-Talaiot. Giramos a la derecha por el Camí S'Aguila y seguimos 4.400 m hasta enlazar con el Camí de Betlem.

005 Camí de Betlem. Se continúa 2.200 m para desviarnos a la izquierda hasta alcanzar Cas Busso.

006 Cantina de Cas Busso-Inicio de MA-6014. Nos desviamos a la izquierda y pedaleamos 1.500 m hasta la marca 007. Giramos a la derecha.

007 Pista bastante rocosa por el Camí Vell de Cala Pi. Descendemos 1.200 m hasta toparnos con un cruce.

008 Cruce.1er paso, continuar. Se continúa 1.500 m hacia el sur, hasta alcanzar un cruce y un final de pista que cogemos a la izquierda.

009 Fin de pista. Se enlaza con el Camí de les Prederes que tomamos a la izquierda. Nos adentramos en el casco urbano y, tras circular por el carrer Penyes y el carrer Torre, alcanzamos la Punta de Cala Pi.

010 Punta de Cala Pi. Atravesamos la Urbanización por el carrer Penyes. Nos desviamos a la izquierda por el carrer LLucamet y cogemos a la derecha el carrer Merola que enlaza con el carrer Rossini. Nos desviamos a la izquierda por el carrer Falla y nos topamos con el carrer d'Albéniz que cogemos a la derecha. Continuamos 1.300 m por el carrer d'Albéniz para coger a la izquierda el Camí de Vallgornera.

011 Camí de Vallgornera. Pedaleamos 1.700 hacia el norte y nos desviamos a la izquierda por un principio de pista.

012 Inicio de pista. Atravesamos la Posesión de Vallgornera Nou y continuamos por el Camí de Son Moro hasta alcanzar de nuevo la marca 008. Nos desviamos a la derecha, ascendemos hacia el norte, y atravesamos la MA-6014.

013 Inicio de pista por el Camí Vell de Cala Pi. Circulamos 2.200 m por una pista de tierra. Pasamos junto a una cantera de marés y por Son Albertí.

014 Fin de pista, cogemos a la izquierda y ascendemos 8 km por el camino asfaltado de Cala Pi, para enlazar a la izquierda por el Camí d'es Palmer.

015 Camí d'es Palmer. A 640 m atravesamos la MA-6014. A 400 m atravesamos el Camí de S'Aguila. Continuamos por el Cami des Palmer hasta alcanzar un desvío a la derecha que nos lleva a una rotonda que dejamos por la 2ª salida. Tras atravesar el puente por encima de la MA-19, llegamos a otra rotonda que abandonamos por la 2 º salida. En la siguiente rotonda, cogemos la 3ª salida y, pedaleando por el carrer Marroig, llegamos a nuestro punto de origen. Fin de ruta.

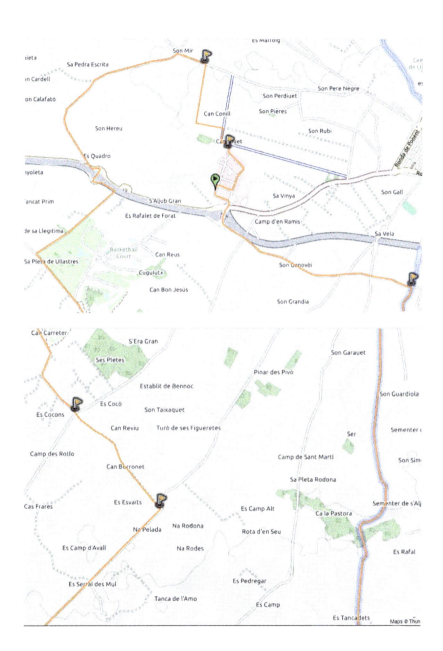

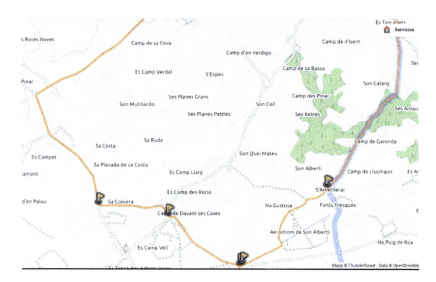

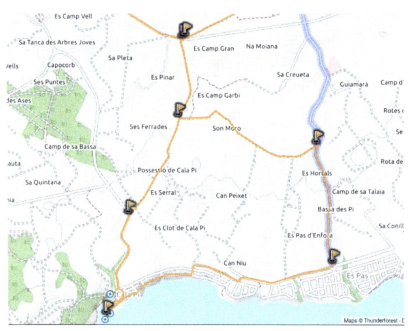

08.-Ruta 03-01-01-Son Marill-Vilarrassa-Genova

Comarca: Palma	Municipio: Palma de Mallorca
Longitud: 37,5 Km	Tiempo estimado: 4h 55'
Desnivel positivo: 1.144 m	Desnivel negativo: 1.147 m
Dificultad técnica: Difícil	Dureza: Alta
% de pistas: 59,80 %	% de pavimento: 44,20 %

Descripción General:

Ruta exigente y técnicamente difícil, saliendo del Polígono de Can Valero. Tras un primer buen tramo de carretera, nos adentraremos en montaña, para pedalear por variadas pistas y coronar numerosas cumbres. Podremos disfrutar de panorámicas inmejorables, de norte a suroeste, por la Sierra de Na Burguesa. Destacamos:

-Coll de Son Marill, entre Ses Marjadetes y Penya de sa Mel.

-Coll de Son Camps.

-Puig de Sa Coma Fosca.

-Pujol des Gat.

-Coll des Tords.

-Coll des Vent.

-Mirador de Alzamora.

-Coll de Bendinat.

-Puig de Vilarrassa.

-Serra de Ses Pasteretes.

-Sa Font de Sa Ermita.

-Camí dels Reis.

-Bosque por Son Magí.

Abandonamos el Polígono de Can Valero por el Camí de Jesús y continuamos por la MA-1041. Circulamos 5.200 m por la carretera, con algo de tráfico, en ligero ascenso hasta el desvío hacia Calviá (001). Pasada la marca anterior y a 1 km, nos desviamos a la izquierda por una pista que escalamos 1.300 m hasta llegar al Coll de Son Marill. A nuestra izquierda, veremos una casa abandonada. En esta subida se van alternando tramos más cómodos con otros más técnicos pero, en general, no demasiado complicados, si lo comparamos con el resto de la ruta.

A partir de aquí el firme se convierte en puro cemento, muy rajado, y con importantes desniveles. A continuación y en breve, circulamos por una pista ancha, con el firme de tierra, y con apenas dificultad técnica. Recorremos poco más de 3 km, hasta alcanzar y atravesar la valla de piedra sita en la marca 003.

Continuamos hacia el suroeste hasta alcanzar la marca 004, próxima al Pujol des Gat, en donde se erige una torre de vigilancia contraincendios a 511 m de altitud.

En la marca 004 descendemos 400 m, sobre un roquedo muy técnico, por el que tenemos que circular con mucha precaución para evitar una caída indeseable. El firme mejora en algo a partir de la marca 005 y, siguiendo de bajada, llegamos al Coll des Vent, para toparnos con la MA-1043 (a escasos metros, hacia el este, está el popular Coll de Sa Creu).

Atravesamos la carretera y volvemos a enlazar con una pista muy rocosa y que se estrecha, hasta alcanzar una pista ancha con el firme de tierra y de viruta. Cogemos a la izquierda y continuamos 900 m hasta desviamos a la derecha por una pista que se estrecha y en la que pedaleamos por tramos muy técnicos. Debemos estar muy atentos a la encrucijada en la marca 007 que, al 1er paso, cogemos a nuestra derecha. A unos 500 m, llegamos hasta el Mirador de Alzamora en donde disfrutamos de magníficas vistas.

Extraemos de diversas fuentes en la red, incluida *Wikipedia*, la siguiente información: "*La sierra posee renombre histórico debido a las hazañas suscitadas por el rey Jaime I de Aragón durante la reconquista de Mallorca. Cabe recordar que, en aquella época, esta sierra fue conocida como Serra de Porto Pi. El nombre de Na Burguesa es debido a la familia Burgues que poseyó la alquería de Bendinat, al pie de sus montañas, desde principios del siglo XVI (Francesc de Burgues). Más tarde la finca pasó a la familia Salas i posteriormente al Marqués de la Romana que ordenó la construcción del conocido Castillo de Bendinat, si bien, la sierra mantendría el nombre de Na Burguesa.*"

En ella se encuentra el Mirador de N'Alzamora, que se encuentra en la cima del Puig d'Aliga (439 m) desde donde podremos otear el valle de Benátiga, con el puig que le da su nombre (375 m), Calviá, Sa Mola de S'Esclop (928 m) y el Puig de Galatzó (1.027 m).

Volvemos sobre nuestros pasos, buscando de nuevo la marca 007, para desviarnos, en este 2º paso, a nuestra derecha. Continuamos 1 km hasta la marca 008, próxima a la Cueva del Mármol, y nos desviamos a la izquierda escalando hasta la pista principal (009).

La pista se vuelve a ensanchar y buscamos el Coll de Bendinat y el Puig de Vilarrassa. Observamos que la pista se ensancha en una suerte de encrucijada en donde debemos estar muy atentos al desvío, en la marca 010, para comenzar una bajada técnica.

La bajada discurre por una pista con un suelo difícil, en el que se aconseja mucha precaución, dada la abundancia de piedra suelta, curvas cerradas y tramos técnicos. Tras terminar la bajada técnica y en breve, nos topamos con una valla de metal que, tras traspasarla, nos lleva a un final de pista en la marca 011. Enlazamos con el carrer Sant Tomás. Cogiendo a la izquierda, ascendemos brevemente por una cuesta bastante pronunciada. Pedaleamos 1 km por zona urbana hasta alcanzar la marca 012 en donde comienza una nueva pista.

Volvemos a escalar 1.600 m, por una pista ancha y sin dificultad técnica, hasta alcanzar la marca 013. En este punto, debemos estar muy atentos a nuestra izquierda, en donde abandonamos la pista principal y enlazamos con una pista estrecha, que de subida, se complica técnicamente.

Culminado este tramo, conectamos con una pista muy ancha que cogemos a la derecha. Un indicador de madera nos anuncia *Bendinat* y el sentido a coger (a la derecha). Disfrutamos de una bajada, aunque con precaución, por tener un firme resbaladizo por la abundancia de arenilla y de piedras pequeñas.

En la marca 016, franqueamos la valla dejando al este el golf de Bendinat, y que bordeamos de sur a norte y de norte a este. Poco más adelante cruzamos otra valla y, a escasos metros, en la curva, podemos ver la denominada Sa Font de Sa Ermita (017).

En una publicación on-line, con fecha 31.10.2013, efectuada por *Bermejo Fernández*, se nos dice: "*En el LLibre dels Fets,se menciona la existencia de una acequia, vinculado a al abastecimiento hidráulico en la Alquería de Bendinat. Fue utilizada por Jaime I, para dividir a las tropas aragonesas de las catalanas, cuando el monarca se dirigió a ellas tras montar el campamento cerca de una fuente de agua, en las cercanías de la alquería. Los datos señalados por esta crónica podrían corresponderse con este importante sistema hidráulico. De hecho, el acueducto y el aljibe que se encuentran en sus terrenos ya formaban parte del sistema hidráulico antes de la construcción de castillo.*

Desde hace mucho tiempo, el nombre Font de s'Ermita, nos traía de cabeza, ya que apuntaba la posibilidad de que hubiera existido una ermita en el lugar. Por otra parte, la presencia de una casa con varios siglos de antigüedad en sus inmediaciones, sin nombre conocido, también era algo que llamaba la atención. La no existencia de una ermita en el lugar, nos ha llevado a pensar que quizás el nombre no se refiera a la existencia de una ermita, sino a la de un ermitaño (ermitá).Por lo que se puede afirmar que se trata de un nombre cristiano y por lo tanto posterior a la construcción de la mina y en consecuencia, posterior a la ocupación árabe."

Seguimos rodando durante alrededor de 1 km y, tras bajar una cuesta con gran desnivel (la popularmente denominada *mamut*), enlazamos con el Camí dels Reis (018).

Atravesamos Génova y, en la rotonda junto a la base militar Jaime II, nos dirigimos 750 m hacia el oeste (izquierda), por la MA-1043, para desviarnos a la derecha en la marca 019. Nos moveremos por el área de Son Magí. Salvo algunos tramos al principio con alguna dificultad por las hondonadas y lo agreste del suelo, el resto es de tierra y técnicamente fácil. Buscamos la rotonda donde concurren, por el sur, el Cami dels Reis, y, por el oeste, el Camí de Son Rapinya. El resto de la ruta desde la marca 020, es por zona urbana, en descenso, y nos lleva a nuestro punto de origen.

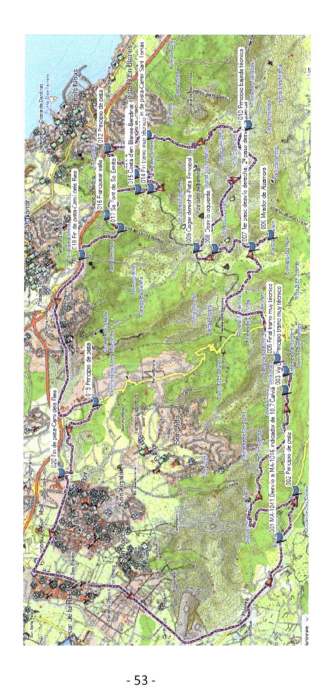

puntos de interés

001 MA-1041.Desvío a MA-1016.Indicador de 10,7 Calviá

002 Principio de pista

003 Valla de piedra

004 Principio tramo muy técnico

005 Final tramo muy técnico

006 Mirador de Alzamora

007 1er paso:desvío derecha: 2º paso:desvío izquierda

008 Desvío izquierda

009 Coger derecha-Pista Principal

010 Principio bajada técnica

011 Fin de pista-Carrer Sant Tomás

012 Principio de pista

013 Tramo muy técnico

014 Fin tramo muy técnico

015 Costa d'en Blanes-Bendinat

016 Franquear valla

017 Sa Font de Sa Ermita

018 Fin de pista-Camí dels Reis

019 Principio de pista

020 Fin de pista-Cami dels Reis

<u>Marcas de Posición</u>

Punto de partida: Polígono de Can Valero. Palma de Mallorca. Camí de Jesús. MA-1041. Se pedalea 5.200 m de subida por la carretera, hasta alcanzar el desvío a la izquierda que enlaza con la MA-1016.

001 MA-1016-Desvío a MA-1016.Indicador de 10.7 Calvià. Se continúa 1 km para enlazar a la izquierda con un principio de pista.

002 Principio de pista. Sobre una pista con fuertes pendientes y algunos tramos muy técnicos, a 1.350 m, coronamos el Coll de Son Marill y continuamos a la derecha. Seguimos ascendiendo 3.200 m hasta toparnos con una valla de piedra.

003 Valla de piedra. Se atraviesa. A escasos metros comienza un tramo muy técnico.

004 Principio de tramo, de bajada, muy técnico.

005 Final tramo muy técnico. A 800 m alcanzamos el Coll des Vent. Se continúa y se cruza la MA-1043 para enlazar con una pista con el suelo muy rocoso y que se estrecha hasta alcanzar la pista principal. Continuamos 900 m para desviarnos a la derecha. Seguimos durante 1 km y medio hasta alcanzar la encrucijada marcada cómo la 007.

007 1er paso: desvío a la derecha; 2º paso: desvío a la derecha**.** Al 1er paso nos desviamos a nuestra derecha para buscar el Mirador de N'Alzamora.

006 Mirador de N'Alzamora. Volvemos sobre nuestros pasos 480 m para volver al cruce en la marca 007.

007 Al 2º paso: desvío a la derecha. Rodamos 930 m, por tramos muy técnicos, hasta la siguiente marca de posición.

008 Nos desviamos a la izquierda y buscamos la pista principal.

009 Coger derecha-Pista principal. Se continúa 3.300 por la pista principal hasta alcanzar la marca 010.

010 Principio bajada técnica. Descendemos 2.200 m por una pista que se adentra en un desfiladero que se asemeja a un torrente. Tramos técnicos con numerosa piedra suelta y algunas curvas muy cerradas. Nos topamos con una puerta de metal que se traspasa.

011 Final de pista. Cogemos a la izquierda y entramos en zona urbana por el carrer Sant Tomás. Continuamos a la derecha por el carrer Santa Lavinia. Giramos a la izquierda y buscamos un principio de pista.

012 Principio de pista. Abandonamos la zona urbana. Ascendemos 1.700 por una pista ancha y sin dificultad técnica, hasta alcanzar la marca 013 en donde nos desviamos a la izquierda.

013 Tramo muy técnico por una senda estrecha y muy rocosa que hará que probablemente tengamos que ir bajados, empujando la bici.

014 Fin de tramo muy técnico. Alcanzamos una altitud de 296 m, en el seno de la Serra de Ses Pasteretes, en donde la calidad del firme mejora. Al poco alcanzamos una pista muy ancha en donde se señaliza *Costa d'en Blanes y Bendinat*.

015 Señalización de Costa d'en Blanes y Bendinat. Giramos a la derecha y descendemos 1.300 m por una pista ancha con un suelo resbaladizo.

016 Franqueamos la valla de madera y, a 500 m, alcanzamos Sa Font de Sa Ermita.

017 Sa Font de Sa Ermita. Se rodea el golf por el norte y seguimos de bajada, poco más de 1 km, hasta alcanzar la popular *mamut*.

018 Fin de pista. Principio del Camí dels Reis por la que se continúa atravesando Génova y alcanzando la rotonda justo a la base militar de Jaime II. Cogemos a la izquierda por la MA-1043 y continuamos 750 m hasta toparnos a la derecha con una pista estrecha y de bajada.

019 Principio de pista. Pedaleamos por el área de Son Magí y llegamos a la rotonda frente al colegio Madre Alberta.

020 Zona urbana. Se continúa por el Cami dels Reis y, a la altura de la gasolinera en el Polígono de Can Valero, cogemos a la izquierda por el Camí de Jesús para finalizar la ruta.

09.-Ruta 03-01-02-Raixa-Comuna de Bunyola-Son Macià

Comarca: Palma

Municipio: Palma de Mallorca

Longitud: 44,60 Km

Tiempo estimado: 3h 53'

Desnivel positivo: 1.155 m

Desnivel negativo: 1.155 m

Dificultad técnica: Moderada

Dureza: Moderada

% de pistas: 46,46%

% de pavimento: 53,54%

Descripción General:

Ruta fácil hasta la subida a la Comuna de Bunyola pero con una bajada muy técnica, por la popularmente llamada 3K.Destacamos:

-El Camí de la Real, el Camí de la Pleta y Ses Rotgetes de Canet

-Sa Esgleieta y Sa Fon Seca.

-Raixa

-La Comuna de Bunyola.

-Son Daviu y Son Macià.

Salimos del extremo norte del Polígono Son Castelló, en la Indiotería, que bordeamos por el Camí dels Reis y que nos lleva, tras 3 rotondas, hasta un desvío a nuestra derecha que, tras circular 880 m hacia el norte por un carril bici, enlazará a nuestra izquierda por el Camí de Son Espases.

Nos dirigimos 1.400 m hacia el norte conectar con el Camí de la Real, a otros 1.000 m con el Camí de la Pleta, y a 600 m con una pista de tierra a nuestra derecha, en donde se despliega una cadena (003) fácilmente franqueable, que discurre por el carrer Parc Bit-4.

A 860 m cruzamos el Camí Can Majol y continuamos por una pista que se va estrechando paulatinamente, hasta alcanzar Ses Rotgetes de Canet (004).

Bordeándolo por el sur, enlazamos con una pista que, de bajada, nos lleva hasta la MA-1120.

A partir del punto anterior (005), pedaleamos un buen rato por pavimento, atravesando S'Esgleieta, Las Casas de Sa Font Seca, por la MA-1140, y un tramo de la MA-11.

S'Esgleieta tiene su origen en la iglesia de Santa María, denominada Santa María de l'Olivar, nombre atribuido al primitivo convento de l'Olivar, de las monjas clarisas, fundado en el siglo XVI.

Sa Font Seca es una casa señorial del siglo XVII.

En la MA-20 y, a 800 m en sentido Sóller, buscamos un desvío a nuestra izquierda en donde se despliega la señalización de *Raixa*. Pedaleamos hacia el norte por una pista que en ocasiones se estrecha bastante y que discurre por algunos tramos con espesa vegetación a ambos lados. Son 1.700 m los que discurren desde la cancela indicada en la marca 008, hasta volver a cruzar la MA-11 para, por la MA-2020, encaminarnos hacia Bunyola.

Respecto de *Raixa*, podemos extraer de *Wikipedia* lo siguiente: "*En tiempos de la dominación árabe, Araixa era al nombre con el que se conocía el valle que ya tenía una alquería, la cual paso por manos de diferentes familias que la han ido ampliando hasta adquirir el aspecto actual. En el año 1229 el rey Jaime I de Aragón conquista la isla de Mallorca y hace un reparto de sus tierras entre sus colaboradores. Raixa fue dada al conde de Ampurias Ponce IV el 11 de mayo de 1234. La familia más representativa, que la poseyó más siglos y que realizó los cambios más significativos en Raixa, fue la familia Despuig, condes de Montenegro y Montoro. El primer conde de Montenegro compró Raixa el 18 de junio de 1660. El personaje de la familia Despuig más importante para la historia de Raixa es el cardenal Antonio Despuig (1745-1813), hijo del III conde de Montenegro y V de Montoro. Así, en 1787, compró a Gabino Hamilton, pintor escocés y anticuario, un terreno en Arricia, donde encontró, hasta el 1796, gran cantidad de esculturas que fueron llevadas a Raixa para formar parte del museo que estableció en esta posesión.*

Al regresar de Italia, el cardenal Despuig transforma Raixa en una villa de estilo italiano, añadiendo a la fachada una loggia de diez arcos y encargando al escultor Lazzarini el diseño de los jardines que rodean la casa.

En 1906, Raixa es comprada por el empresario Antonio Jaume Nadal, quien al regresar de América había adquirido numerosas posesiones en la isla como Ca'n Serra, Ginars y Son Gelabert. En 1918 la colección de esculturas romanas pasa a formar parte del Museo de Mallorca. La colección puede visitarse actualmente en el Castillo de Bellver. En 1919 Antonio Jaume añade a los jardines la casa de las muñecas, que inspira a Lorenzo Villalonga el título de su novela Bearn o La sala de las muñecas. Fue llevada a la gran pantalla por el director Jaime Chávarri, utilizando Raixa como escenario.

A pesar de que Raixa fue ofrecida en varias ocasiones al Consejo de Mallorca, la adquisición se lleva a cabo, conjuntamente con el Ministerio de

Medio Ambiente, interviniendo la venta a la diseñadora alemana Jil Sander."

Ya en Bunyola y, tras atravesar el pueblo, giramos a nuestra izquierda (010) por la carretera de Sa Comuna. Ascendemos 4.700 m, la primera parte del recorrido en zigzag, hasta alcanzar la marca 012. Continuamos subiendo 550 m y tras un collado de 450 m, alcanzamos una barrera de madera fácil de franquear (013); hacia el sur, llaneamos y dejamos a nuestra izquierda el Puig des Bous hasta enlazar con la llamada popularmente, 3K (014). Descendemos 2.700 m por una pista que discurre paralela a Es Cocons, pedregosa y muy técnica, y que finaliza en Cas Bergantet.

Poco más adelante, cogemos a nuestra izquierda y continuamos hasta alcanzar la MA-2020. Hacia el sur y tras atravesar una rotonda y dejarla por la 2ª salida, enlazamos con la MA-2040. Circulamos 600 m hasta la marca 018 en donde, a nuestra derecha, cogemos una pista. Pedaleamos 3 km hasta alcanzar la marca 019, atravesando Son Daviu por el Camí de Muntany. Continuamos hasta la marca 020, en la que nos topamos con una barrera franqueable que nos adentra en la finca de Son Macià que, tras atravesarla, nos lleva a la marca 021.Fin de pista.

Nos desviamos a nuestra izquierda, en sentido Sa Indiotería, hasta alcanzar a nuestra derecha el carrer Gremi de Tintorers, por el que continuando en sentido norte, nos devuelve a nuestro punto de origen. Fin de ruta.

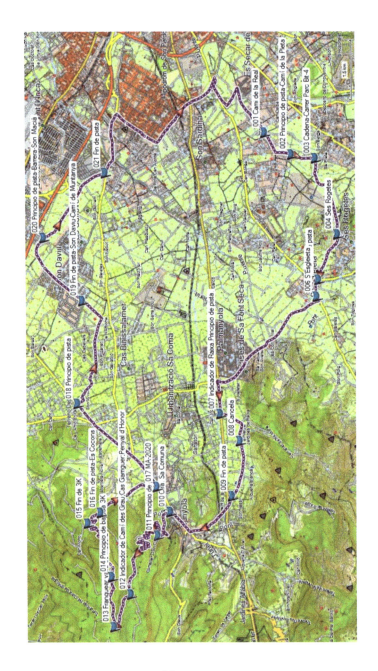

- 64 -

puntos de interés

001 Cami de la Real

002 Principio de pista-Camí de la Pleta

003 Cadena-Carrer Parc Bit-4

004 Ses Rogetes

005 Fin de pista

006 S'Esgleieta

007 Indicador de Raixa

008 Barrera

009 Fin de pista

010 Ctra. Sa Comuna

011 Principio de pista

012 Indicador de Camí des Grau;Cas Garriguer;Penyal d'Honor

013 Franquear valla de madera

014 Principio de bajada 3K

015 Fin de 3K

016 Fin de pista-Es Cocons

017 PM-2020

018 Principio de pista

019 Fin de pista-Son Daviu-Camí de Muntanya

020 Principio de pista-Barrera-Son Macià

021 Fin de pista

Marcas de Posición

Punto de partida: Carrer Gremi de Tintorers. Polígono de Son Castelló. Palma de Mallorca. Nos dirigimos hacia el noroeste y, a 320 m, giramos a nuestra izquierda por el carrer del Gremi de Sucrers i Candelers. Atravesamos 2 rotondas y, en la 3ª, cogemos la 3ª salida para enlazar con el Camí dels Reis. Continuamos 850 m para desviarnos a nuestra derecha por un carril bici que discurre paralelo a la MA-1110. Pedaleamos 880 m para coger a nuestra izquierda el Camí de Sos Espases hasta toparnos con el Camí de la Real.

Giramos a nuestra derecha por el Camí de la Real y, a 560 m, alcanzamos la siguiente marca.

001 Camí del Real. Se continúa 650 m y nos desviamos a nuestra izquierda por el Camí de Can Rave y el Camí de la Pleta, hasta alcanzar un principio de pista.

002 Principio de pista. Camí de Pleta. Continuamos 630 m hasta alcanzar la marca 003 y girar a nuestra derecha.

003 Traspasar cadena. Carrer Parc Bit-4. A 400 m cruzamos un puente sobre el Torrent de Na Bàrbara y nos desviamos a nuestra izquierda por Camí Can Mallol. Continuamos 480 m para desviarnos a nuestra derecha y, a lo largo de 1300 m, seguimos rectos hacia el norte hasta alcanzar la marca 004. A final del tramo, el camino se estrecha, pica hacia arriba, y pergeñamos un torrente.

004 Ses Rotgetes de Canet. Continuamos 240 m por el Vial Ses Rogetes Vial XIV, y nos desviamos a nuestra derecha por una pista que descendemos 1.300 m hasta alcanzar la MA-1120.

005 Fin de pista. Giramos a nuestra derecha para al poco girar a nuestra izquierda por la MA-1110. A 500 m llegamos a S'Esgleieta.

006 S'Esgleieta. Lo rodeamos por el oeste y, en la rotonda, cogemos la 1ª salida por la MA-1140. Pasamos por las Cases de Sa Fontseca, al norte de Palmanyola, y pedaleamos 3 km y medio hasta alcanzar la rotonda. Cogemos la 3ª salida por la MA-11 para, a 800 m, llegar a la marca 007 que cogemos a nuestra izquierda.

007 Indicador de *Raixa*. Principio de pista. A 600 m, en el cruce, giramos a nuestra derecha hasta toparnos con una cancela.

008 Cancela. La traspasamos y se continúa 1.400 m por una pista que se estrecha y discurre entre espesa vegetación.

009 Fin de pista. A escasos metros, atravesamos la MA-11 y nos dirigimos hacia Bunyola por la MA-2020, hasta alcanzar la marca 010 que tomamos a nuestra izquierda. Pedaleamos 2.200 m.

010 Carretera de Sa Comuna. Paralelos al Comellar d'en Cupí y tras una primera curva pronunciada, empieza la pista.

011 Principio de pista. Ascendemos 4.700 m hasta la marca 012.

012 Encrucijada. Ver indicadores de madera sobre árbol: *Camí des Grau, Cas Garriguer y Penyal del Honor*. Se continúa 1 Km por la pista a la derecha hasta toparnos con una valla de madera.

013 Valla de madera. Se franquea y se continúa 1.400 m hacia el sur.

014 Principio de bajada técnica 3K.Descendemos de 2.700 m.

015 Fin de 3K.Fin de pista técnica.

016 Fin de pista. Descendemos 1.700 m hasta alcanzar la MA-2020.

017 Nos desviamos a nuestra izquierda y rodamos 2.400 por la MA-2020 hasta alcanzar una rotonda. Cogemos la 2ª salida y continuamos 600 m por la MA-2040 hasta desviarnos a nuestra derecha por un principio de pista.

018 Principio de pista. Pedaleamos 2.400 m hasta alcanzar el Cami de Muntanya que cogemos a nuestra izquierda. Se continúa 630 m para entrar en el casco urbano de Son Daviu Nou y llegar a la marca 019.

019 Fin de pista-Son Daviu-Camí de Muntanya. Continuamos 2.150 m atravesando Son Daviu, enlazando con el Camí de Muntanya y el carrer Ses Trempes, hasta alcanzar la marca 020.

020 Principio de pista-Barrera-Son Maciá. Franqueamos la barrera y seguimos 2.300 m por la pista, hasta alcanzar la MA-2031.

021 Fin de pista. A nuestra izquierda, continuando por la MA-2031, nos dirigimos hacia Sa Indiotería y, a 1.500 m, nos desviamos a nuestra derecha por carrer Gremi de Tintorers para alcanzar nuestro punto de origen.

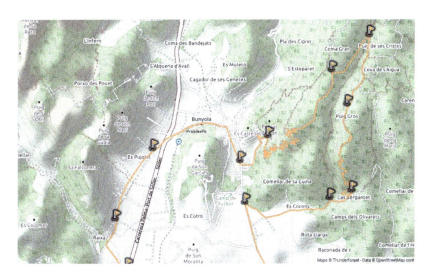

10.-Ruta 04-01-02-S'Aljub-Coll des Xorics-Castellitx de Sa Pau

Comarca: Migjorn

Municipio: Algaida

Longitud: 49,60

Tiempo estimado: 3h 49'

Desnivel positivo: 470 m

Desnivel negativo: 471 m

Dificultad técnica: fácil

Dureza: moderada

% de pistas: 47,09 %

% de pavimento: 52,91 %

Descripción General:

Ruta técnica fácil y de dureza moderada, plagada de altibajos en que, partiendo de Ses Regates, intercalaremos con frecuencia, pistas con pavimento.

Destacaría:

-Numerosos caminos, tales cómo: el Camí de Cas Grau, Cami de Muntanya, Camí de Sa Comuna, Camí de Punxuat, Camí de Son Mendivil, Camí de Son Miquel Joan, Camí de Son Roig, Camí de Son Caleta, Camí des Escolana, Camí d'es Putxets, Camí Vell Gracia, Camí de Son Pons, Camí de Sa Maimona, Camí des Pontarró, Camí Vell de Porreres, Camí de la Pau de Castellitx, Camí de Castellitx per Binicomprat, cami de Darrere ses Vinyes, Camí de Pedreres y Camí de Son LLuch.

-Alrededores de Galdent.

-Alrededores de Randa y Cura.

-Castellitx de Sa Pau

Comenzamos por el Camí de Cas Grau y, al poco, nos desviamos a la derecha por una pista que llega a la marca 002. Giramos a la izquierda para volver a enlazar con el Camí de Cas Grau, que nos lleva, en la marca

003, al Camí de Muntanya. Giramos a la derecha hasta encontrarnos con una encrucijada en donde volvemos a desviamos a la derecha por el Camí de Sa Comuna (004).

Pedaleamos 3 km y medio y buscamos la pista que discurre por el Camí de Punxuat. Continuamos 500 m hasta desviarnos a la derecha. Circulamos 1.250 m y encontramos una encrucijada. Cogemos la pista que, en ascenso, se dirige hacia el oeste por el Camí de Son Mendivil (006). A lo largo de más de 2 km y medio, escalamos hasta la marca 007 en donde nos desviamos a la izquierda por un principio de pista.

Más adelante, nos topamos con el Camí de Son Miquel Joan (008) que cogemos a la izquierda, en dirección norte, buscando el desvío a la derecha por el Camí de Son Roig (009). Circulamos 3 km y medio, por una pista ancha y sin dificultad técnica, hasta el Camí de Son Caleta (011).Al poco, atravesamos la MA-5010 para enlazar con el Camí des Escolana y llegar hasta el Camí d'es Putxets (014).

A menos de 1 km, nos topamos con el Cami Vell Gracia (015) y nos dirigimos a la derecha para enlazar con el Camí de Son Pons (016).Cogemos a la derecha para, a escasos 500 m, desviarnos a la izquierda por el Camí de Sa Maimona (017). Continuamos 2.400 m para desviarnos a la izquierda por una pista que da comienzo al Camí des Pontarró (018).A 1.400 m, justo al alcanzar Can Mandins, debemos estar muy atentos por **NO** coger la primera desviación a la derecha. Se sigue por la pista del fondo y continuamos por una pista con un firme pedregoso que se va estrechando y en el que abunda bastante vegetación. Atención a las zarzas. La pista se ensancha en la marca 019 en donde cogemos a la derecha. Seguimos escalando por un camino pavimentado y que culmina en la marca 020 en donde comienza una nueva pista de tierra.

Descendemos, aunque con algunos repechos, hasta el próximo hito en la marca 021.En este punto, nos dirigimos a la derecha en el sentido de la valla que se avista al fondo y, justo antes, en la cadena, nos desviamos a la izquierda. Pedaleamos por un pinar y continuamos de bajada hasta sortear un escalón técnico. Inmediatamente, subimos una rampa con bastante desnivel y, a continuación, se desciende hasta llegar a la marca 022.

Cogemos a la izquierda (022) y pedaleamos 2.800 m por el Camí Vell de Porreres. Precaución al atravesar la MA-5017.

En la marca 023 nos desviamos a la izquierda y cogemos el *Camí de la Pau de Castellitx*. Recorremos 1.400 m hasta toparnos con una valla de metal que traspasamos (025). A escasos metros, antes de alcanzar la mencionada valla, podremos apreciar a nuestra derecha del camino, un talaiot (024).

Rodeamos Son Coll Vell por el noroeste y continuamos 1.250 m hasta alcanzar el Castellitx de Sa Pau. De *Wikipedia*, extraemos: " *La Iglesia de la Virgen de la Paz de Castellitx, es una iglesia del municipio español de Algaida (Mallorca), situada en la antigua alquería de Castellitx, nombre que también recibió todo el término municipal hasta el siglo XV. Se cita en la bula de Inocencio IV de 1248, bajo la advocación de San Pedro y San Pablo.*

La entrada del edificio mira hacia poniente con un muro que cierra el espacio antiguamente destinado a cementerio y en la actualidad convertido en jardín. El acceso se puede hacer por dos portillos flanqueados con pilares que terminan con pequeños castillos de arenisca.

El oratorio está formado por tres cuerpos y un cuarto anexado al lateral. El portal de la iglesia está precedido de un porche de planta cuadrada, con dos aguas y apoyado sobre una columna ortogonal. Se accede por lo que era antes el cementerio con un portal de arco rebajado. Parece que esta construcción data del siglo XVI con la intención de agrandar la capacidad del templo.

Un arco de medio punto construido con dovelas, ornamentadas con puntas de diamante esculpidas en la piedra, abre el acceso al oratorio. El interior es de una sola nave dividida en tres y la cabecera. La bóveda que la cubre es de cañón en el primer tramo y el presbiterio, siendo fruto de la reforma que llevó a cabo el rector Amengual el siglo XVIII. En cambio la parte más antigua de la iglesia son los dos tramos que restan del siglo XIII. El tejado es de dos aguas sobre un arco de diafragma apuntado sólo decorado con motivos de moldura. Finalmente la sacristía del siglo XVIII aprovecha el contrafuerte.

La imagen que se venera es la de la Virgen de la Paz que se encuentra en el corazón de presbiterio, se trata de una talla gótica, fechada en 1430, de madera policromada. La virgen se encuentra representada sentada, con una esfera en la mano derecha y Jesús niño en la rodilla izquierda también con una esfera en la mano. La imagen sufrió una importante restauración de 1976."

Nada más atravesar las casas que la acompañan y a 200 m (027), cogemos a la derecha, franqueando la valla, y nos sumergimos en la finca pública que discurre por Na Botera y La Roca de la Verge María. Nos topamos con una cadena que da comienzo al Camí de Sa Drecera de la Pau. El fin de pista se produce en la marca 029, dejando a nuestra izquierda un cementerio.

En la marca 030 giramos a la derecha y pedaleamos 200 m por el Camí de Castellitx per Binicomprat. Nos desviamos a la izquierda por el Camí de Darrere de ses Vinyes.

Atravesamos la MA-15 y buscamos la MA-3110. Continuamos 1 km y medio para desviarnos a la izquierda por el Camí de Ses Pedreres.

Pista cómoda, en ligero descenso, hasta alcanzar la MA-3100. Giramos a la izquierda y continuamos 400 m hasta coger a la derecha el Camí de Son Lluch (034). A 2 km y, tras una curva a la derecha y después a la izquierda, acaba la pista (035).Continuamos rectos 800 m y, tras girar a la derecha, atravesamos el puente sobre la MA-3131. Giramos a la derecha por la vía de servicio hasta encontramos con nuestro punto de origen. Fin de ruta.

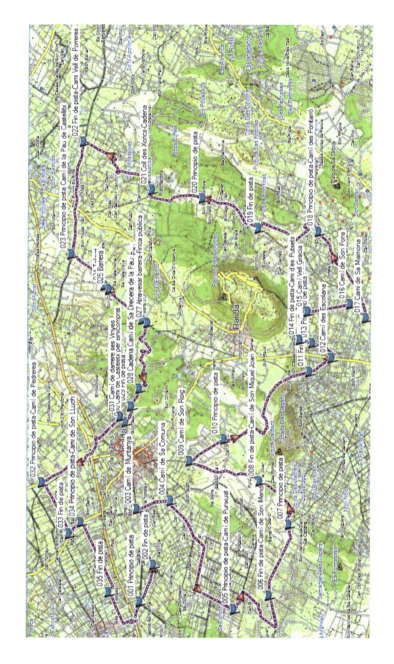

puntos de interés

001 Principio de pista

002 Fin de pista

003 Camí de Muntanya

004 Camí de Sa Comuna

005 Principio de pista-Camí de Punxuat

006 Fin de pista-Camí de Son Mendivil

007 Principio de pista

008 Fin de pista-Camí de Son Miquel Joan

009 Camí de Son Roig

010 Principio de pista

011 Fin de pista-Camí de Son Caleta

012 Camí des Escolana

013 Principio de pista

014 Fin de pista-Cami d'es Putxets

015 Camí Vell Gracia

016 Camí de Son Pons

017 Cami de Sa Maimona

018 Principio de pista-Camí des Pontarró

019 Fin de pista

020 Principio de pista

021 Coll des Xorics-Cadena

022 Fin de pista-Cami Vell de Porreres

023 Principio de pista Camí de la Pau de Castellitx

024 Talaiot

025 Barrera

026 Castellitx de Sa Pau

027 Atravesar barrera-Finca pública

028 Cadena Camí de Sa Drecera de la Pau

029 Fin de pista

030 Cami de Castellitx per Binicomprat

031 Camí de darrere ses Vinyes

032 Principio de pista-Camí de Pedreres

033 Fin de pista

034 Principio de pista-Cami de Son LLuch

035 Fin de pista

<u>Marcas de Posición</u>

Punto de partida: Antiguo restaurante Ses Regates. Salida desde la MA-15, al ramal indicado cómo Cami Vell de Algaida.

001 Se abandona el Camí de Cas Grau y nos desviamos a la derecha por una pista.

002 Fin de pista. Giramos a la izquierda hasta volver a enlazar con la el Camí de Cas Grau.

003 Camí de Muntanya. Cogemos a la derecha y pedaleamos 870 m hasta alcanzar la marca 004. Giramos a la derecha.

004 Camí de Sa Comuna. Pedaleamos 3 km y medio hasta alcanzar el Camí de Punxuat.

005 Principio de pista. Camí de Punxuat. Pedaleamos 500 m buscando la primera desviación a la derecha. Continuamos y, en el 1er cruce de caminos, giramos a la izquierda y, en pendiente hacia arriba, abandonamos la pista.

006 Camí de Son Mendivil. Continuamos ascendiendo 1.850 m hasta el siguiente cruce. Cogemos a la izquierda.

007 Principio de pista. Pedaleamos 1.500 m hasta enlazar con pavimento en la marca 008.

008 Fin de pista. Camí de Son Miquel Joan. Cogemos a la izquierda y pedaleamos 2 km para desviarnos a la derecha.

009 Camí de Son Roig. Ascendemos 1 km hasta un principio de pista.

010 Principio de pista. Seguimos ascendiendo algo más de 1 km. Tras la cumbre, descendemos 3 km.

011 Fin de pista. Camí de Son Caleta. Comienza tramo pavimentado hasta toparnos con la MA-5010. Atravesamos la carretera con precaución y enlazamos con la marca 012.

012 Camí des Escolana. Una curva a la izquierda nos lleva rectos hacia la pista 013.

013 Principio de pista. A escasos 300 m, enlazamos con el Camí d'es Putxets.

014 Fin de pista. Camí d'es Putxets. Cogemos a la derecha y circulamos 1 km hasta alcanzar la siguiente marca.

015 Cogemos a la derecha y continuamos 1.200 m por el Camí Vell Gracia hasta alcanzar la marca 016.

016 Camí de Son Pons. Cogemos a la derecha y pedaleamos 500 m.

017 Nos desviamos a la izquierda, giramos 180 grados, y circulamos 2.400 m por el Camí de Sa Maimona hasta toparnos con un cruce.

018 Principio de pista. **NO** coger primer desvío a la derecha frente a Can Mancins. Se continúa escasos metros para girar a la derecha, a continuación a la izquierda, y de nuevo a la izquierda, por una pista sobre un suelo rocoso. Volvemos a girar a la derecha por una pista que se va estrechando y, que de subida, discurre entre vegetación frondosa. Atentos a las zarzas.

019 Fin de pista. Giramos a la derecha y seguimos ascendiendo 1.700 m, hasta volver a dejar atrás el suelo pavimentado.

020 Principio de pista. Continuamos 1.450 m, por una pista técnicamente fácil, hasta desviarnos a la derecha. A escasos metros, mirando a nuestra izquierda, nos topamos con una cadena.

021 Coll des Xorics. Atentos a la cadena. Pedaleamos por el pinar y tras franquear un escalón, nos encontramos con una pista con bastante desnivel positivo, que tras culminarla, continúa de bajada hasta encontrar un tramo recto que nos lleva al Cami Vell de Porreres.

022 Fin de pista-Camí Vell de Porreres**.** Giramos a la izquierda. A 1.600 m, atravesamos la MA-5017. Continuamos rectos 1.100 m hasta encontrar un desvío a la izquierda por un principio de pista.

023 Principio de pista. Camí de la Pau de Castellitx. A 900 m nos topamos con una bifurcación y cogemos a la derecha. Inmediatamente nos topamos con otro cruce que cogemos a la izquierda para, a 160 m, llegar hasta el talaiot que se ubica a la derecha del camino.

024 Talaiot. Se continúa 120 m hasta alcanzar una cancela.

025 Atravesamos cancela y giramos a la derecha para evitar pasar justo en frente de Son Coll Vell. Continuamos 1.200 m y llegamos al Castellitx de Sa Pau.

026 Castellitx de Sa Pau. Descendemos 200 m, para, a nuestra derecha, toparnos con el acceso a una Finca Pública.

027 Nos introducimos en la Finca Pública franqueando la barrera. Continuamos 2.400 m por unas pistas anchas y con algún pequeño tramo técnico, casi todo el tiempo de subida, hasta toparnos con una cadena que nos lleva al Camí de Sa Drecera de la Pau.

028 Cadena. Descendemos por el Camí de Sa Drecera de la Pau.

029 Fin de pista. Se continúa recto hasta la carretera.

030 Giramos a la derecha por el Camí de Castellitx per Binicomprat. A 200 m nos desviaremos a la izquierda.

031 Camí de Derrere ses Vinyes. Se continúa hasta enlazar con el Camí de s'Estació. Giramos a la derecha y continuamos 130 m para llegar a la MA-15E. Giramos a la izquierda y, a 400 m, alcanzamos una rotonda que dejamos por la 2ª salida, enlazando con la MA-3110. Se continúa para cruzar la MA-15 por un puente. Se continñua 1 km y medio por la MA-3110 hasta desviarnos a la izquierda por el Camí de ses Pedreres.

032 Camí de ses Pedreres. Principio de pista.

033 Fin de pista. Giramos a la izquierda por la MA-3100 y avanzamos 400 m para desviarnos a la derecha.

034 Camí de Son Lluch. Principio de pista.

035 Fin de pista. Se continúa recto y, tras un giro a la izquierda y a continuación a la derecha, enlazamos un breve tramo por el Camí de Ses Malloles. Volvemos a atravesar la MA-15 y, al alcanzar la rotonda, cogemos la 2ª salida y volvemos al punto de origen. Fin de ruta.

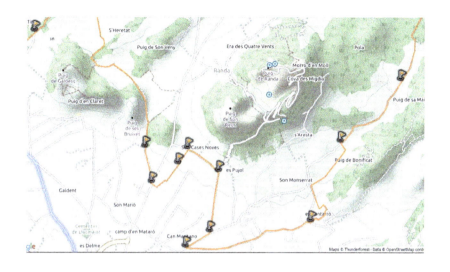

11.-Ruta 04-07-01-Montuiri-Ermita de Bonany-Terra Bona

Comarca: Pla de Mallorca	Municipio: Montuïri
Longitud: 37,70 km	Tiempo estimado: 3h 46'
Desnivel positivo: 756 m	Desnivel negativo: 754 m
Dificultad técnica: Moderada	Dureza: Moderada
% de pistas: 52,79 %	% de pavimento: 47,31 %

Descripción General:

Ruta de dificultad técnica moderada y de dureza moderada. El punto álgido se encuentra en la Ermita de Bonany y disfrutaremos, tras abandonar la vía de servicio a la altura de Villafranca de Bonany, de tramos recónditos que nos llevarán de vuelta al punto de inicio. Destacamos:

-El Puig de Sant Miquel.

-La proximidad al Santuari de Consolació, Camino Natural de Son Juny y Sant Joan.

-La proximidad a la Ermita de Bonany.

-Las pistas y tramos de herradura entre el oeste de Villafranca de Bonany, la Costa dets Alens y el área próxima a la Cova de Ses Genetes.

Comenzamos atravesando la MA-15 y nos dirigimos 750 m por la MA-3210, en sentido Montuiri, para coger a la derecha el Camí del Puig de Sant Miquel. De subida, seguimos rectos hasta tomar una curva a la izquierda (002), enlazar con el Camí de Sa Rota y culminar el Puig de Sant Miquel.

En *Mallorca Verde* se puede leer: *"El Area Natural del Puig de Sant Miquel constituye una pequeña elevación situada en la llanura central de la Isla de*

Mallorca. En la Cima del Puig se halla situada una ermita dedicada a Sant Miquel.

En general, el Puig presenta un paisaje muy antropizado, con terrenos de cultivo de frutal de secano (almendros, algarrobos y higueras) y plantas exóticas naturalizadas como cipreses, palmeras y chumberas. Entre las especies naturales predominan los acebuches y los pinos de halepo, junto con algunas encinas en las zonas de umbría.

Entre la fauna más característica se pueden observar diferentes especies de mamíferos, donde destaca la gineta, y de aves, como los tordos, trigueros, verdecillos y rapaces, en especial lechuzas y cernícalos."

Continuamos algo más de 500 m, para girar a la derecha por el Camí de Canniu (003) que, de bajada, nos lleva hasta la carretera paralela a la autovía. Giramos a la izquierda y, al poco, enlazamos con el Camí de Son Vaquer (005). Continuamos 2.250 m y nos desviamos a la derecha por una pista ancha y sin dificultad técnica hasta alcanzar el Camí d'Horta. Giramos a la izquierda y, a 800 m, nos desviamos a la izquierda en sentido Santuari de Consolació. A escasos metros encontramos El Camí Natural de Son Juny (008).

En a la *web del Ministerio de Agricultura y Medio Ambiente*, podremos leer: "*San Joan es un municipio de origen musulmán y tradición agrícola, perteneciente a la comarca del Pla de Mallorca, ubicado en el centro de la isla, a una altitud de 150 m sobre el nivel del mar.*

El Camino Natural de Son Juny, parte del casco urbano de Sant Joan (Paseo Joan Mas i Mates) para llegar, tras recorrer 500 metros, al Santuario de Nuestra Señora de la Consolación. Con esta iniciativa se ha tratado de reproducir el estilo de los antiguos caminos de carro realizados en piedra desde el siglo XIII. Este tipo de construcción en piedra seca, es tradicional en el Mediterráneo, empleándose en toda la isla de Mallorca en muros separadores de fincas, viviendas tradicionales, espacios aterrazados, vías de comunicación, etc.

Las construcciones en piedra seca se encuentran documentadas en Baleares en toda la isla desde el siglo XIII, aunque su mayor desarrollo es posterior al siglo XV, entrando en decadencia en el siglo XX por el abandono de las zonas agrarias y el desarrollo del turismo de masas en la década de 1960. Actualmente muchas de estas antiguas estructuras se encuentran protegidas en el archipiélago.

El santuario de la Consolación, tiene sus orígenes en el siglo XIII, aunque fue restaurado entre 1755 y 1780 y, posteriormente, entre 1959 y 1966.En su interior se conserva una imagen de la Virgen, del siglo XVI, que fue restaurado en 1917.Hay además un oratorio junto a un gran aljibe, que tiene en su parte superior un pozo y sirve de mirador, al que se accede por una escalinata de piedra de planta cuadrangular."

Atravesamos el pueblo rodeándolo de oeste a norte y, en la marca 009, nos desviamos a la derecha y descendemos por una pista hasta enlazar con el carrer de sa Bastida (010).A continuación ascendemos hasta culminar la subida en el Puig d'en Baldini (011).En la encrucijada, cogemos el primer camino a la derecha y, al poco, nos adentramos en un frondoso y fresco bosque de pinos, llamado Pinar d'en Puig.

Pedaleamos 1.750 m hasta alcanzar con el Camí de Son Baró (012). Giramos a la derecha y circulamos 700 m para enlazar con una pista a la izquierda. Tras atravesar el llamado Camí de Calicant, continuamos por un sendero, franqueado por un frondoso bosque de pinos, hasta alcanzar la MA-3220.

Giramos a la izquierda y pedaleamos 1 km hasta coger a la derecha una pista en el que se despliega la indicación de *Son Gurgut*. Al poco, vemos el indicador de *Bonany* y comenzamos a escalar sobre un firme muy pedregoso y difícil de pergeñar. Nos topamos con la carretera que nos lleva hasta la Ermita de Bonany.

Wikipedia nos dice: "La ermita fue levantada en el siglo XVII en honor a una estatuilla de la madre de dios encontrada, si bien el edificio actual data de la década de los años 20 del siglo XX, en que fue reconstruida después de ser destruida por un rayo.

A unos pocos metros de la ermita en el camino que lleva a ella hay una cruz de piedra, diseñada por el artesano local Joan Vives Lliteras y que fue clavada en conmemoración del último sermón que dio Fray Junípero Serra antes de partir hacia América."

Sin llegar hasta la misma ermita, seguimos subiendo 460 m y nos desviamos a la izquierda por una pista estrecha al principio pavimentada. Disfrutamos de una bajada de 4 km hasta alcanzar, en la marca 021, el Camí de Son Elzebits. Giramos a la derecha y pedaleamos rectos hasta alcanzar una rotonda. Se continúa por la C-715, atravesamos la MA-15 y enlazamos con la MA-5101. En la siguiente rotonda, cogemos la 1ª salida y continuamos 280 m por la MA-5111 hasta desviarnos a la izquierda y enlazar con el Cami de Sant Ramón (022). A 650 m, nos desviamos a la derecha para adentrarnos en un pinar.

Todo este tramo, hasta la marca 023, será una sucesión de pistas variadas, con interesantes requiebros, altibajos y con algunos tramos muy pedregosos. Ver detalle en el apartado Marcas de Posición.

Volvemos a resaltar lo importante de circular en pequeños grupos (no más de 4 o 5 ciclistas), de ser muy cuidadoso con el medio ambiente, sin tirar basura, ni invadir zonas privadas, y respetar los silencios. Desde la marca 023, pedaleamos por la vía de servicio hasta alcanzar nuestro punto de origen.

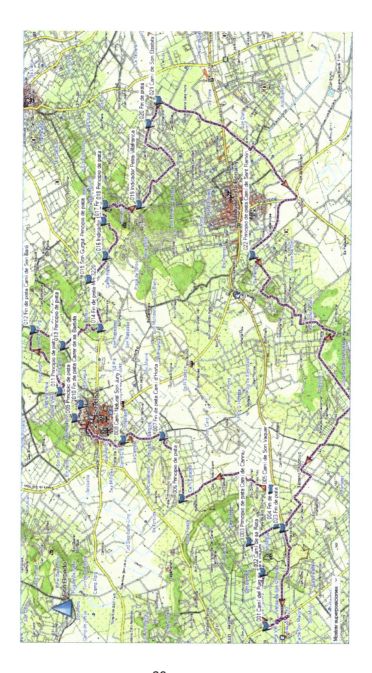

puntos de interés

001 Camí del Puig de Sant Miquel

002 Camí de sa Rota

003 Principio de pista.Camí de Canniu

004 Fin de pista

005 Camí de Son Vaquer

006 Principio de pista

007 Fin de pista.Camí d'Horta

008 Camí Natural Son Juny

009 Principio de pista

010 Fin de pista.Carrer de sa Bastida.

011 Principio de pista.Puig d'en Baldini

012 Fin de pista.Camí de Son Baró

013 Principio de pista

014 Fin de pista-MA-3220

015 Son Gurgut.Principio de pista.

016 Indicador Bonany

017 Fin de pista

018 Principio de pista

019 Indicador Petra-Villafranca

020 Fin de pista

021 Camí de Son Elzebits

022 Principio de pista.Camí de Sant Ramón

023 Fin de pista

Punto de partida: Instalaciones comerciales en la salida 29 de la MA-15. Nos dirigimos hacia Montuiri por la MA-3210 y, a 730 m, nos desviamos a la derecha por el Camí del Puig de Sant Miquel.

001 Camí del Puig de Sant Miquel. Escalamos hasta el primer cruce.

002 Camí de Sa Rota. Se sigue por la izquierda y alcanzamos el Puig de Sant Miquel. Tras la primera curva a la izquierda y después a la derecha, seguiremos rectos, 760 m, para desviarnos a la derecha.

003 Principio de pista. Cami de Canniu. Descendemos hasta encontrarnos con un camino pavimentado que cogemos a la izquierda.

004 Fin de pista. Giramos a la izquierda.

005 Camí de Son Vaquer. Continuamos de 2.250 m, buscando un principio de pista a la derecha.

006 Principio de pista. Pedaleamos 1.450 m por una pista de tierra, ancha y sin dificultad técnica.

007 Fin de pista. A escasos metros, giramos a la izquierda por el Camí d'Horta. Circulamos 800 m hasta desviarnos a la izquierda en sentido Santuario de Consolación y, de subida, buscamos el Camino Natural Son Juny.

008 Camino Natural Son Juny. Rodeamos el pueblo de oeste a norte, pergeñando rampas con mucho desnivel, y buscamos una pista a nuestra derecha en la marca 009.

009 Principio de pista. Descendemos 400 m antes de alcanzar el pavimento.

010 Fin de pista. Carrer de Sa Bastida. Giramos a la izquierda y ascendemos

540 m hasta desviarnos a la derecha en la siguiente marca.

011 Puig d'en Baldini. Continuamos 1.750 m por un pista, entre un pinar, que se va ensanchando hasta alcanzar la marca 012.

012 Fin de pista. Giramos a la derecha por el Camí de Son Baró. Seguimos rectos hasta encontrar el primer cruce a la izquierda.

013 Principio de pista. A 580 m, cruzamos el llamado Camí de Calicant y entramos en un pinar pedaleando por una vereda con frondosa vegetación a ambos lados, zigzagueando, hasta llegar a la MA-3220.

014 Fin de pista. Giramos a la izquierda y pedaleamos 1 km por la MA-3220 para, en la marca 015, coger a la derecha.

015 Son Gurgut. Principio de pista. Se sigue recto y al poco encontramos un indicador de *Bonany*.

016 Indicador de Bonany. La pista se complica técnicamente por el suelo muy pedregoso con algunos tramos difíciles de superar.

017 El terreno se suaviza al entrar en el pinar y, a escasos metros, conectamos con el pavimento que nos lleva hasta la ermita. Sin llegar hasta el oratorio y a 460 m, estamos atentos a una estrecha pista a la izquierda.

018 Principio de pista. Disfrutaremos de una bajada larga, con algunos repechos y nos topamos con una indicación de *Petra-Villafranca* (019).

019 Indicador Petra-Villafranca. Pedaleamos 1.170 m, en descenso, para desviarnos a la izquierda. Continuaremos otros 800 m para desviarnos a la derecha hasta alcanzar un fin de pista.

020 Fin de pista. Se continúan 520 m hasta llegar al Camí de Elzebits.

021 Camí de Elzebits. Giramos a la derecha y a 1.500 m alcanzamos una rotonda que dejamos por la 2ª salida. Continuamos 800 m por la C-715 hasta desviarnos a la izquierda, atravesar la MA-15 y enlazar con la MA-5101. Circulamos 1.400 m hasta la siguiente rotonda y tomamos la 1ª salida para enlazar con la MA-5111. Seguimos 280 m hacia el norte y nos desviamos a la izquierda por la vía de servicio. Continuamos 1.300 m, paralelos a la MA-15, hasta desviarnos a la izquierda y alcanzar la marca 022.

022 Principio de pista. Camí de Sant Ramón. A 650 m nos desviamos a la derecha y nos adentramos en un pinar. Desde esta marca hasta la siguiente, serán más de 8 km en una sucesión de distintas tipologías de pistas, con requiebros y distintos firmes. Hacemos especial hincapié en los tramos estrechos y pedregosos que tendremos que pergeñar.

Pedaleamos   700 m desde el pinar y nos topamos con un camino que cogemos a la izquierda. Continuamos escasos metros para desviarnos por el 1er desvío a la derecha.

Continuamos 340 m y volvemos a toparnos con un camino que debemos coger a la izquierda.

A 120 m, nos desviamos a la derecha y, tras una curva a la izquierda, nos encontramos con un acceso privado que bordeamos girando a nuestra derecha por una estrecha vereda que, al poco, nos sumerge en un bosque de pinos.

Continuamos, poco más de 600 m, para toparnos con otro camino que cogemos a la derecha. Tras 200 m, nos desviamos a la izquierda y, tras una curva a la izquierda, pedaleamos por una recta hasta toparnos con un nuevo camino que cogemos a la derecha.

Tras 1 km, nos topamos con otro camino que, tras coger a la derecha, abandonamos inmediatamente por la 1ª salida a la izquierda. Ascendemos 730 m por un camino bastante frondoso y, tras una curva a la izquierda, volvemos a toparnos con otro camino que cogemos a la derecha hasta alcanzar la vía de servicio.

023 Fin de pista. Giramos a la izquierda y continuamos paralelos a la MA-15 hasta alcanzar la MA-3210. Tomamos a la izquierda y tras la rotonda, llegamos a nuestro punto de origen. Fin de ruta.

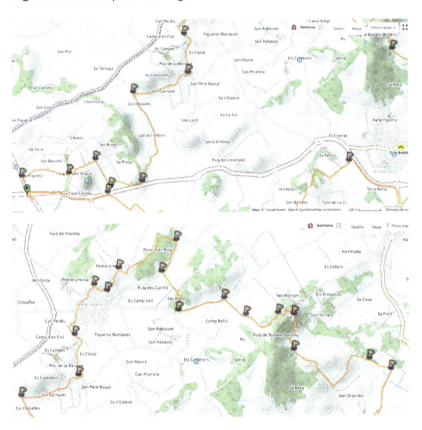

12.-Ruta 05-10-01-Sa Pobla-Albufera

Comarca: Raiguer	Municipio: Sa Pobla
Longitud: 53,60 km	Tiempo estimado: 3h 52'
Desnivel positivo: 383 m	Desnivel negativo: 392 m
Dificultad técnica: Fácil	Dureza: Baja
% de pistas: 38,83%	% de pavimento: 61,17%

Descripción General:

Ruta fácil, en que saliendo de Sa Pobla, pedalearemos por diversas zonas diferenciadas:

-S' Albufera

- Playa de Muro y de Alcudia

-Bosque de Sant Martí

-Caminos   rurales   con gran diversidad de cultivos en los alrededores de Sa Pobla y Muro

Salimos de Sa Pobla por la Ronda Este desde la rotonda con el arco antiguo, en sentido sur, hasta desviarnos a 400 m por el Camí Gran de Son Amer. Nos topamos con un camino perpendicular que cogemos a la derecha para, inmediatamente, desviarnos por la izquierda. Continuamos 2 km hasta coger el primer desvío a la derecha por Ca'n Figuera.

Pronto, nos topamos con la Salines de S'Illot y, cogiendo a la derecha, seguimos rectos atravesando la marca 018 y alcanzando la marca 001. Cogemos un principio de pista por el camino de la derecha, entre cañaverales, que nos lleva rectos hasta otro camino que cogemos a la derecha. Cruzamos un puente y, al poco, atravesamos una cancela en la marca 002. Seguimos rectos 1.400 m por las salinas, hasta encontrar otra cancela que igualmente franqueamos.

Continuamos hasta toparnos con un nuevo camino que cogemos a la izquierda. Seguimos bordeando S'Albufera por el Canal de Molinas (004) y, a 3 km, enlazamos con el Camí de Ca Ses Monges. Al poco, nos topamos con la MA-3431 que atravesamos para coger un principio de pista que discurre por un bonito bosque sobre un suelo arenoso y entre pinos. Pedaleamos 1.150 m y enlazamos con la MA-3410 y, tras atravesar dos rotondas, buscamos la marca 007.

Inmediatamente llegamos a Casetes des Capellans y nos adentramos en el arenal que, paralelo a la playa de Muro, nos acerca a una zona de hoteles. Continuamos por la Av.Platges de Muro, paralela a la MA-12, hasta que a la altura a nuestra izquierda del carrer Tamarells, junto al Es LLac Gran, nos desviamos a la derecha hasta alcanzar la misma playa. Paralelos al mar, continuamos 2.100 m por un vial, hasta la marca 010, y giramos a la izquierda por el carrer Neptú hasta toparnos con una rotonda. Abandonamos la rotonda por la 3ª salida para coger la Av.Tucá, y seguir rectos hasta la siguiente rotonda para coger la 1ª salida. Desde este punto nos dirigimos hacia el norte hasta toparnos con la MA-3460 y, que tras atravesarla, continuamos 450 m para coger a la izquierda una pista que nos lleva hasta la MA-13.Giramos a la izquierda y, a 650 m (013), enlazamos por un principio de pista marcado con el *Puig de San Martí.*

En el área del Puig de Sant Martí, escalamos 1.100 m hasta abandonar a la derecha la pista principal y rodar por pintorescos senderos. A 910 m cruzamos una valla de piedra y, a escasos metros, culminamos sobre un suelo rocoso, la altura máxima de la ruta. Desde este punto podemos disfrutar de una bajada técnica hasta alcanzar la MA-3470.La cruzamos y, a 130 m, nos topamos con la Cova de Sant Martí (015).

La Cova de San Martí contiene dos altares de estilo gótico, de los siglos XIII y XIV, ligados a los primeros cultos cristianos de la isla tras la llegada de Jaume I a la isla.

Nos dirigimos hacia el este buscando el carrer Can Vauma. Hacia el sur alcanzamos la MA-3433 en la marca 016. Giramos a la derecha y pedaleamos 4.200 m hasta el Pont d'en Franco (017) sobre el Canal de Siurana. Giramos a la izquierda y continuamos 820 m hasta llegar a la Siquia de S'Aigua Bona. Giramos a la derecha y continuamos 1.100 m (haciendo el mismo recorrido de ida), hasta girar a la izquierda. A continuación esta debe ser la secuencia del recorrido:

- 1.700 m de tramo hasta toparnos con un camino que cogemos a la izquierda.

- 450 m hacia el este, hasta desviarnos a la derecha.

-1.200 m hasta alcanzar el Camí Vell de Artà-Pollença. Giramos a la izquierda y continuamos 140 m hasta girar a la derecha (019).Principio de pista.

- 1 km hasta enlazar con el Camí de C'an Fornari. Giramos a la izquierda.

- 500 m hasta la marca 020. Cogemos a la izquierda por el Camí de Son Marc 1.

- 1.200 m por una recta, giramos a la izquierda, y circulamos 1.800 m por otra recta.

- Se atraviesa la MA-3430 y circulamos hacia el sureste, escasos metros por el Camí Sense Nom, y cogemos la 1ª salida a la derecha.

- Continuamos hasta toparnos con el Cami de Na Pontons. Giramos a la derecha.

- Tras 3.100 m, atravesamos la MA-3501.

- Continuamos 1.300 m, por una recta, hasta alcanzar la MA-3422. Giramos a la derecha para alcanzar el núcleo urbano de Sa Pobla. Callejeamos hacia el noreste, buscando nuestro punto de origen. Fin de ruta.

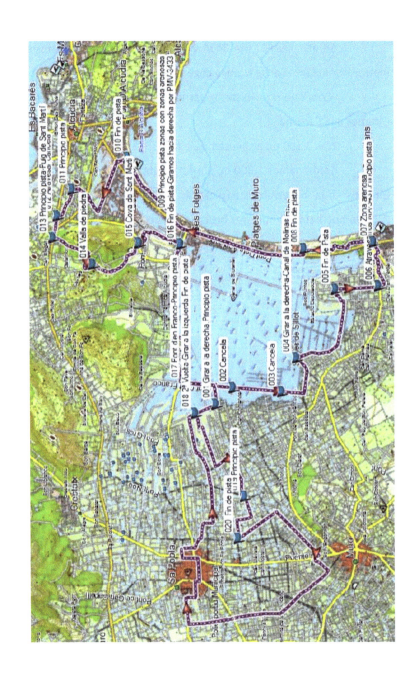

puntos de interés

001 Girar a la derecha.Principio pista

002 Cancela

003 Cancela

004 Girar a la derecha-Canal de Molinas

005 Fin de Pista

006 Atravesamos MA-3431.Principio pista

007 Zona arenosa

008 Fin de pista

009 Principio pista zonas con zonas arenosas

010 Fin de pista

011 Principio pista

012 Atravesar cancela

013 Principio pista-Puig de Sant Martí

014 Valla de piedra

015 Cova de Sant Martí

016 Fin de pista-Giramos hacia derecha por PMV-3433

017 Pont d'en Franco-Principio pista

018 2ª Vuelta-Girar a la izquierda.Fin de pista

019 Principio pista

020 Fin de pista

<u>Marcas de Posición</u>

Punto de partida: Pont de Son Carbonell. Salida 40 de la MA-13. MA-3420 hasta Ronda Este. Hasta la marca 001, se sigue la siguiente secuencia:

- Nos dirigimos hacia el sur 400 m por la Ronda Est y, a nuestra izquierda, cogemos el Camí de Son Amer hasta toparnos con un camino perpendicular.

- Giramos a la derecha e inmediatamente cogemos el 1er camino a la izquierda para volver a girar a la izquierda.

- Continuamos 1 km para atravesar el Camí Vell Artá-Pollença.

- Se continua 1 km y, tras una curva a la izquierda, cogemos a la derecha por C'an Figuera hasta toparnos con el Parc Natural S'Albufera.

-Giramos a la derecha y continuamos 850 m para alcanzar la marca 001. Giramos a la izquierda.

001 Comienza pista de tierra en un tramo corto entre cañaverales. A 600 m giramos a la derecha.

002 Atravesar cancela. Salines de Illot. A nuestra izquierda se ubica el Canal des Sol. Rodamos hacia el sureste por la Siquia de S'Aigua Bona y por el Canals des Polls.

003 Atravesar cancela. A nuestra izquierda se ubica la Fita de S'Albufera. Continuamos hacia el sureste por el Canals des Polls. A 600 m giramos a la izquierda por el Cami Vell de Societat Anónima Font de Son. Se continúa, sin desviarnos del camino principal, hasta alcanzar la marca siguiente.

004 Giramos a la derecha y cogemos el Canal de Molinas. Pedaleamos 2.800.

005 Fin de pista. Giramos a la derecha hasta alcanzar la carretera MA-3431.

006 Entramos por el bosque y, a escasos metros, giramos a la izquierda por una pista arenosa. Pedaleamos 1.100 m, paralelos a la MA-3431, hasta conectar al este con la MA-3410. Cogemos a la izquierda hasta toparnos con una rotonda. Se continúa por la 1ª salida. Seguimos hasta la siguiente rotonda y se continúa por la 2ª salida hasta alcanzar una zona arenosa.

007 Pista arenosa. Casetes des Capellans. Circulamos 2.300 m, paralelos a la playa, por una pista franqueada por cuerdas y pinos.

008 Fin de pista. Avanzamos 4 km por la carretera de Alcudia a Artá, MA-12.

009 Principio de pista. Continuamos 2.100 m, paralelos a la playa, en que se alternan zonas arenosas con pavimento de color azul.

010 Fin de pista. Giramos a la izquierda por el carrer Neptú hasta al alcanzar una rotonda. Se continúa por la 3ª salida para coger la Av.Tucá. Seguimos 1.500 m hasta la siguiente rotonda, para coger la 1ª salida a la derecha. Nos dirigimos 550 m hacia el norte, y atravesamos la MA-3460 para continuar otros 450 m.

011 Principio de pista. Se continúa 1 km.

012 Atravesar cancela. Fin de pista. Circulamos 650 m por la carretera, hasta alcanzar el desvío de Puig de Sant Martí.

013 Principio de pista. Ver indicador de Puig de Sant Martí. Escalamos 1.100 m para girar a la derecha. Se continúan 910 m por un sendero, hasta toparnos con una valla de piedra.

014 Se atraviesa la valla de piedra y se escala 230 m por un tramo rocoso. Descendemos 2.500 m por una pista con algunos tramos técnicos. Se atraviesa la MA-3470 para alcanzar, a 130 m, la siguiente marca de posición.

015 Cova de Sant Martí. Nos dirigimos 600 m hacia el este, zigzagueando a la izquierda y derecha, para alcanzar el carrer Can Vauma. Continuamos hacia el sur hasta llegar a la MA-3433.

016 Fin de pista. Giramos a la izquierda y continuamos 4.200 m por la MA-3433, paralelos a Ses Salines de Illot, hasta alcanzar el Pont d'en Franco.

017 Pont d'en Franco. Cogemos a la izquierda y continuamos 820 m hasta llegar a la Siquia de S'Aigua Bona. Volvemos a girar a la derecha y, tras 1.100 m, hacemos el mismo recorrido de ida hasta girar a la izquierda en la marca 018.

018 Fin de pista. 2ª vuelta-Girar a la izquierda. Avanzamos 1.700 m hasta toparnos con un camino que tomamos a la izquierda. Continuamos 450 m y giramos a la derecha. Seguimos 1.240 m, para toparnos con otro camino que cogemos a la izquierda para desviarnos inmediatamente a la derecha en la marca 019.

019 Principio de pista. Continuamos hasta llegar al Camí de Ca'n Fornari que cogemos a la izquierda. Al alcanzar el cruce nos desviamos a la izquierda por el Camí de Son Marc.

020 Fin de pista. Cami de Son Marc. Pedaleamos 1.250 m para desviarnos a la derecha. Continuamos 1.800 m por el Camí de Can Quartana, y giramos a la derecha para inmediatamente coger a nuestra izquierda el Camí Sense Nom y atravesar la MA-3430. A 200 m nos desviamos a la derecha hasta toparnos con un camino que volvemos a coger a la derecha. Pedaleamos 3.100 m por el Cami de na Pontons para atravesar la MA-3501. Se continúa por el Camí de na Pontons, hasta alcanzar la MA-3422. Giramos a la derecha, para adentrarnos en el casco urbano de Sa Pobla y, que cruzando de suroeste a noreste, nos lleva al punto de origen. Fin de ruta.

13.-Ruta 06-04-01-Sa Gramola-Pas Vermell-Orlandís

Comarca: Serra de Tramuntana   Municipio: Calvià

Longitud: 50,70 km   Tiempo estimado: 5h 03'

Desnivel positivo: 1.523 m   Desnivel negativo: 1.532 m

Dificultad técnica: Muy difícil   Dureza: Muy alta

% de pistas: 57,77 %   % de pavimento: 42,23 %

Descripción General:

Ruta de dureza muy alta y técnicamente muy difícil, saliendo de de Peguera, que discurrirá por Sa Vall Verda, La Trapa, S'Arracó, Pas Vermell, Cala Egos, Ermita de Orlandís y Camp de Mar. Iremos por:

-Vall Verda.

-La Trapa.

-Camí de Son Tio entre S'Arracó Pas Vermell.

-Cala Egos.

-Ermita de Orlandís.

-Tramo entre Orlandís y Camp de Mar.

-Tramo entre Camp de Mar y Peguera.

Saliendo de la rotonda, donde converge la calle Miguel Mihura, buscamos la rotonda de la Ctra. Circunvalació y tomamos la 1ª salida. Inmediatamente nos topamos con otra rotonda y tomamos la 2ª salida. A escasos metros atravesamos la MA-1 y cogemos la 1ª salida de la siguiente rotonda, enlazando con la MA-2012 y por la que continuamos 2.400 m hasta desviarnos a la izquierda por el denominado *Vall Verda*.

Pedaleamos 600 m por un primer tramo asfaltado, hasta toparnos con una pisa de tierra (001) por la que continuamos 900 m hasta alcanzar un desvío a la derecha. Escalamos 1.800 m sobre una pista con el firme arenoso y piedrecillas sueltas, hasta llegar a la MA-1031.

Giramos a la izquierda para, inmediatamente a la derecha, coger un principio de pista por el Camí Vell de Es Capdellá. Ascendemos por una pista técnicamente fácil, hasta volver a enlazar con la MA-1031.

Continuamos 3 km por la carretera, hacia Andratx, hasta desviarnos a la izquierda por el Camí de Sa Aguixeira que, de bajada, nos conecta de nuevo con la MA-1031. Cogemos a la izquierda y pedaleamos 450 m hasta la marca 006. Giramos a la derecha para coger el Camí de Sa Font des Bosc. Ascendemos 1.500 m para desviarnos a la derecha por una pista de tierra y toparnos con el Camí ses Penyes en el que se despliega un indicador que reza *Sa Coma Freda/Andratx* (007). Cogemos a la izquierda y continuamos ascendiendo otros 2.750 m hasta alcanzar la MA-10, que cruzamos con precaución, para coger un principio de pista (008) señalizado cómo el *Camí Antic Estellencs/Andratx-Sa Coma Freda/Sa Coma Calenta*. Continuamos 2.800 m hasta culminar la subida.

Descendemos 1.500 m hasta una encrucijada (009), y cogemos a la izquierda por el Camí de Ses Rotes de S'Hereu-S'Arracó. Deberemos circular con mucha precaución sobre un suelo muy roto, con numerosa piedra suelta. A 1 km, en la marca 010, nos topamos con un indicador en donde reza *Coll de Sa Gramola/S'Arracó*. Se continúa 850 m de subida. A continuación, descendemos 2.650 m hasta toparnos con un cruce en el que nos desviamos a la derecha, adentrándonos en un bosquecillo y en una estrecha pista para alcanzar el Camí des Castellás. Cogemos a la izquierda y descendemos por una pista estrecha, paralela al Torrent de Ca Na Rosala, por el Barri Sa Creu, hasta llegar a S'Arracó.

Cogemos a la derecha la MA-1030, que atraviesa el pueblo, y deberemos estar muy atentos para desviarnos a la izquierda por el Barri Can Viguet. A continuación y a escasos escasos metros, nos desviamos a la derecha por el Camí Son Tio. Ascendemos 1.250 m, con algunos tramos con mucho desnivel, hasta conectar en la marca 014 con un principio de pista por donde seguimos subiendo. La pista discurre por una estrecha vereda, con abundante vegetación y unas fantásticas vistas orientadas a la Trapa.

En *Wikipedia* podremos leer: *"La Trapa es una finca de montaña de 81 hectáreas, donde se encuentran las ruinas de un monasterio trapense. Está situada al suroeste de la Sierra de Tramuntana, en el término municipal de Andratx, en Mallorca, y justo enfrente de la isla de Sa Dragonera. Dista a 40 km de Palma, 6 km de S'Arracó ya 3 km de Sant Elm. Actualmente el terreno es propiedad del Grupo Balear de Ornitología y Defensa de la Naturaleza (GOB) y periódicamente organiza jornadas de voluntariado para realizar tareas de mantenimiento y conservación, que suelen coincidir con el primer domingo de cada mes.*

Desde el punto de vista cultural, la historia de La Trapa comienza el año 1810, cuando una comunidad de monjes trapenses, que huyendo de la Revolución francesa, llegaron a Mallorca en 1810 y, durante unos 14 años, ocuparon la zona antes conocida como Valle de San José, que desde entonces se conoce cómo La Trapa. El año 1813 una parte de la comunidad abandonó Mallorca y el resto lo hizo definitivamente el año 1820.

Desde entonces La Trapa ha cambiado de propietario en varias ocasiones, el monasterio se transformó en casas de posesión, sufrió varios cambios y adaptaciones a los nuevos usos. Se construyeron más márgenes y otras edificaciones. Bien entrado el siglo XX se abandonó la posesión y las casas comenzaron a convertirse en ruina.

El año 1980 el GOB, preocupado por la falta de espacios públicos y por una posible parcelación de la finca, adquirió La Trapa. El proceso de compra fue largo, y adjuntó los esfuerzos de cientos de personas, colectivos y entidades. De esta manera y mediante la suscripción popular, la celebración de subastas de obras de arte, exposiciones, conciertos, lotería y otras iniciativas, fue posible hacer frente a los pagos y conseguir su protección definitiva".

Pedaleamos por un bonito y frondoso pinar tras el cual atravesamos el denominado Pou de Sa Tanca. Continuando, nos topamos con la GR221 y giramos a la izquierda para, a unos 330 metros, desviarnos a la derecha por una estrecha pista que se hace inciclable hasta alcanzar el Pas Vermell (015).Por una tramo muy complicado y difícil, buscamos la GR221 ,al sur del Pas Vermell, en donde la pista se ensancha y se hace ciclable.

Desde este punto descendemos 660 m hasta desviarnos a la derecha por una pista ancha pero con abundante piedra suelta, en donde debemos pedalear con mucha precaución hasta alcanzar Cala Egos.

Salimos de Cala Egos hacia el sur, por una estrecha vereda, de subida, en que hay que cargar con la bicicleta durante los primeros metros. Podremos pedalear unos metros, antes de tomar una curva de 360 grados a la izquierda, y continuar escalando 1 km por una pista ancha y con un suelo muy roto, que nos conecta de nuevo con la GR221. A partir de este punto hay 2 opciones:

1.-Bajar por la trialera, muy técnica y con tramos muy complicados, desaconsejable para ciclistas inexpertos.

2.-Bajar por el pavimento.

Con ambas opciones, conectamos con la MA-1022. Giramos a la izquierda y pedaleamos 2.300 m hasta llegar a la MA-1.

Tras cruzar la carretera principal, conectamos con el Camí de Orlandís (018) y ascendemos 1.600 m hasta alcanzar y rodear la Ermita de Orlandís. Estaremos muy atentos para desviarnos a la derecha por una trialera muy técnica y de bajada que nos llevará hasta el Camí Coll den Boix. Cogemos a la derecha y continuamos rectos, 600 m, para girar a la izquierda y enlazar con Es Girgolar.

Continuamos 750 m, y cogemos una pista estrecha que, tras una primera curva a la izquierda y a continuación a la derecha, nos lleva al Camí Sa Vinya. Continuamos hacia el sur hasta conectar con una pista en subida, ancha y con algunos tramos técnicos, hasta alcanzar una vereda que nos lleva hasta la Ctra. Camp de Mar (021).

Cogemos a la izquierda y, a escasos 200 m, nos desviamos a la derecha en dirección Cala Blanca. Descendemos 100 m y nos desviamos la izquierda para coger una pista, que de subida, nos lleva de nuevo hacia la

Ctra. Camp de Mar. Debemos estar atentos a nuestra izquierda para, inmediatamente, coger una pista que discurre paralela a la carretera y que converge nuevamente en la misma.

Continuamos por la carretera principal y atravesamos la población. Alcanzamos una rampa con gran desnivel y enlazamos con el Camí Salinar. Cogemos a la izquierda hasta llegar a unas escaleras, por las que cargaremos con la bicicleta, y que nos conectan con un principio de pista que, bordeando el golf por el sur y que a la derecha, paralelo a la MA-1A, nos permite alcanzar Peguera (023).

Atravesamos la población por la Avda. Peguera y al poco, llegamos a nuestro punto de origen. Fin de ruta.

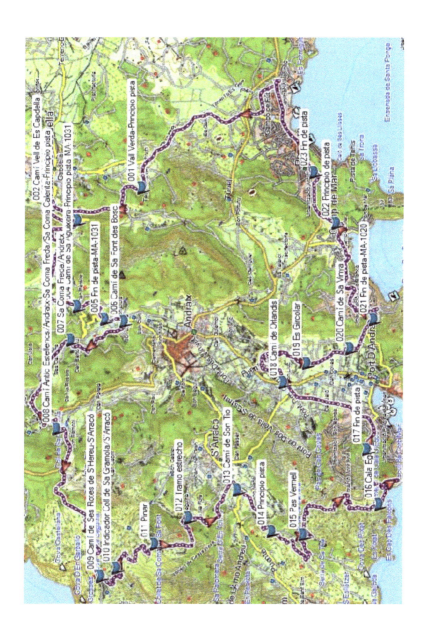

002 Camí Vell de Es Capdella
001 Vall Verda-Principio pista
Principio pista MA-1031
003 Principio pista MA-1031
023 Fin de pista
022 Principio de pista Up He Mart
004 Camí de Sa Higuera-Principio pista MA-1031
007 Sa Coma Freca /Andratx
008 Camí Antic Estellencs /Andratx-Sa Coma Freda /Sa Coma Calenta-Principio pista ella
005 Fin de pista-MA-1031
006 Camí de Sa Font des Bosc
021 Fin de pista-MA-1020
020 Camí de Sa Vinya
019 Es Garcolar
018 Camí de Orlands
017 Fin de pista
Andratx
Port D'Andra
009 Camí de Ses Roces de S'Hareu-S'Arracó
010 Indicador Coll de Sa Gramola /S'Arracó
011 Pinar
012 Tramo estrecho
013 Camí de Son Tio
S'Arracó
014 Principio pista
015 Pas Vermell
016 Cala Eq

- 113 -

puntos de interés

001 Vall Verda-Principio pista

002 Camí Vell de Es Capdella

003 Fin de pista-MA-1031

004 Camí de Sa Aguixeira-Principio pista

005 Fin de pista-MA-1031

006 Camí de Sa Font des Bosc

007 Sa Coma Freda/Andratx

008 Camí Antic Estellencs/Andratx-Sa Coma Freda/Sa Coma Calenta-Principio pista

009 Camí de Ses Rotes de S'Hereu-S'Arracó

010 Indicador Coll de Sa Gramola/S'Arracó

011 Pinar

012 Tramo estrecho

013 Camí de Son Tio

014 Principio pista

015 Pas Vermell

016 Cala Egos

017 Fin de pista

018 Camí de Orlandis

019 Es Gircolar

020 Camí de Sa Vinya

021 Fin de pista-MA-1020

022 Principio de pista

023 Fin de pista

Marcas de Posición

Punto de partida: Saliendo de la rotonda, donde converge la calle Miguel Mihura, buscamos la rotonda de la Ctra. Circunvalació y tomamos la 1ª salida. Inmediatamente nos topamos con otra rotonda y tomamos la 2ª salida. A escasos metros, atravesamos la MA-1 y cogemos la 1ª salida de la siguiente rotonda. Continuamos 2.400 m por la MA- 1012, hasta desviarnos a la izquierda por el denominado *Vall Verda*. Tras un primer tramo asfaltado de 600 m, comenzamos a pedalear por una pista de tierra (001) buscando el primer desvío a la derecha para comenzar a escalar 1.800 m y toparnos con la MA-1031.

001 Vall Verda-Principio de pista. Escalamos 1.800 m hasta alcanzar la MA-1031. Al alcanzar la carretera, giramos a la izquierda y, a escasos metros, nos desviamos a la derecha por *el Camí Vell de Es Capdella.*

002 Camí Vell de Es Capdella. De subida y sin pérdida volvemos a toparnos con la MA-1031.

003 Fin de pista-MA-1031. Continuamos por la carretera en sentido de Andratx, y pedaleamos 3 km hasta coger un desvío a la izquierda.

004 Camí de Sa Aguixeira-Principio de pista. Descendemos hasta toparnos con la MA-1031.

005 Fin de pista-MA-1031.Cogemos a la izquierda para, a escasos metros, desviarnos a la derecha por el Camí de Sa Font des Bosc.

006 Camí de Sa Font des Bosc. Escalamos 1.500 m para coger el camino de tierra a la derecha que nos lleva al Camí ses Penyes. Se despliega el indicador *Sa ComaFreda/Andratx.*

007 Indicador Sa ComaFreda/Andratx. Seguimos escalando 2.600 m, en algunos casos, por tramos con mucho desnivel. Alcanzado es Collet, hay una corta bajada hasta toparnos con la MA-10. Atravesamos la carretera y enlazamos con un principio de pista.

008 Camí Antic Estellencs/Andratx-Sa Coma Freda/Sa Coma Calenta-Principio pista. Ascendemos 1 km para alcanzar el Coll de Sa Gramola. Continuamos 3.200 por una pista hacia el oeste, hasta alcanzar una encrucijada que tomamos a la izquierda.

009 Camí de Ses Rotes de S'Hereu-S'Arracó. Descendemos hasta el siguiente indicador, con mucha precaución, por ser un suelo muy pedregoso.

010 Indicador Coll de Sa Gramola/S'Arracó. Continuamos 1.800 m hasta alcanzar un pinar en el que el terreno se suaviza.

011 Pinar. Se desciende 1.400 m para coger un desvío a la derecha. Seguimos descendiendo 300 m, en zigzag, y abandonamos la pista principal y nos desviamos a la derecha.

012 Tramo estrecho. Continuamos hasta encontrar una nueva pista que cogemos a la derecha. La pista se estrecha y zigzagueando, descendemos 1.400 m hasta alcanzar la carretera MA-1030 al oeste de S'Arracó. Girando a la derecha, estaremos atentos a nuestra izquierda para, a escasos metros, coger el Barri Can Viguet.

013 Barri Can Viguet-Camí de Son Tio. Desde este punto y a 200 m, nos desviamos a la derecha por el Camí de Son Tio. Ascendemos hasta encontrar un principio de pista.

014 Principio de pista. Se continúa 2.000 m de subida hasta el Collet de Sa Barrera. En este último tramo, antes de alcanzar el Pas Vermell, será necesario empujar la bici por una pista con mucha pendiente y en muy mal estado.

015 Pas Vermell. Zona muy rocosa de color rojizo con fantásticas vistas. Debemos atravesar el roquedo hacia el suroeste hasta toparnos con otra pista de tierra que cogemos a nuestra izquierda. Descendemos 3.100 m, por una pista con mucha roca suelta y con fuertes pendientes, hasta alcanzar Cala Egos. Mucha precaución.

016 Cala Egos. Primero hacia el noreste y a continuación hacia el sur, abandonamos la cala por una estrecha vereda, con una fuerte pendiente, en que será necesario empujar la bicicleta.

A 750 m y girando 360 grados a la izquierda, la pista se hace ciclable aunque con un firme técnico y con una subida muy pronunciada. Nos topamos con una pista que cogemos a nuestra derecha para volver a descender.

017 Fin de pista. Se sigue descendiendo hasta alcanzar al casco urbano y la MA-1022.Cogemos a nuestra izquierda y pedaleamos 2.300 m hasta la MA-1. Cruzamos la carretera y cogemos el Cami de Son Orlandis.

018 Camí de Orlandís. Ascendemos 1.600 m hasta alcanzar la ermita. De bajada, debemos estar muy atentos a un desvío a la derecha para enlazar y descender por una pista estrecha, con abundantes socavones y requiebros. Alcanzamos el Camí de Coll den Boix que tomamos a la derecha. A 160 m encontramos el Cami des Coll Baix, que cogemos a la izquierda. A escasos metros cogemos hacia la derecha.

019 Es Girgolar. Continuamos hacia el sur y, en la siguiente curva a la derecha, continuamos rectos por una pista que se estrecha y que, a escasos metros, gira hacia la izquierda y después a la derecha, hasta alcanzar el Camí de Sa Vinya.

020 Camí de Sa Vinya. Se continúa por una pista con un suelo pedregoso y que tras la recta, girando a la izquierda, nos lleva a la MA-1020.

021 Fin de pista-MA-1020. Giramos a la izquierda. A 160 m nos desviamos a la derecha para coger el Camí Cala Blanca. Continuamos 120 m y nos desviamos a la izquierda para enlazar con una pista que, hacia el norte, nos lleva de nuevo a la MA-1020.Desde este punto nos dirigimos hacia Camp de Mar y, tras atravesarlo, nos dirigimos al Camí Salinar, en donde pergeñaremos una fuerte pendiente. Tras culminarla, giramos a la izquierda y enlazamos con un principio de pista

022 Principio de pista. Tendremos que subir por unas escaleras. La pista de tierra continúa paralela a la MA-1A que lleva a Peguera.

023 Fin de pista. Se atraviesa el núcleo urbano por la Av. Peguera para, inmediatamente, llegar al punto de origen. Fin de ruta.

14.-Ruta 06-04-02-Son Caliu-Portals Vells-Faro-Cala Figuera

Comarca: Serra de Tramuntana   Municipio: Calvià

Longitud: 28,50 km   Tiempo estimado: 3h 05'

Desnivel positivo: 650 m   Desnivel negativo: 650 m

Dificultad técnica: Moderada   Dureza: Moderada

% de pistas: 58,43%   % de pavimento: 41,57%

Descripción General:

Ruta moderada, saliendo de Son Caliu, que se caracterizará principalmente porque discurriremos por algunas de las playas y calas de la Costa de Calviá. Iremos por:

-Zona urbana de Palmanova y Magalluf.

- Cala Vinyes, Cala Falcó, Cala de Sa Nostra Dona, Playa del Rei, Playa del Mago, Portals Vells y Cala en Beltrán.

-Cova de la Mare de Deu.

-Torre de defensa junto al Faro de Cala Figuera, en el cabo que le da su nombre.

-Comellar de Portals y Comellar des Caló.

-Talayot en el Carrer Rosa: Naveta de Alemany

-Tramo por el este de la Serra d'en Ferrer y conexión con vial a la altura de la rotonda de Palmanova.

Al principio, por zona urbana, bordeamos las playas de Palmanova: Playa de Porto Novo, Playa de Na Nadala, y Playa de Son Matías. Atravesamos Magalluf y, al principio del carrer Greco, cogemos una pista a la izquierda hasta alcanzar la Av.de la Badía de Palma (en el caso de que este acceso estuviera cerrado, bastará con continuar a la izquierda por la Av.Notari Alemany, hasta enlazar con la Av. Badía de Palma y alcanzar igualmente la marca 002). Nos desviamos a la izquierda, continuamos 100 m y nos volvemos desviar a la izquierda por un pequeño tramo de tierra que nos lleva hasta el Carrer de Puig de la Mar. Giramos a la derecha hasta enlazar con el carrer Ulises. Continuamos a la derecha y, tras pasar un desvío a la izquierda que conecta con el carrer Sirenes, sorteamos a la izquierda el escalón de la acera (005), y enlazamos con una pista estrecha y arenosa que desciende hasta Cala Vinyes (006).

Salimos de la cala, ascendiendo por una pista de tierra que nos dirige al carrer Sol. Giramos a la izquierda hasta alcanzar el carrer LLuna, lo cruzamos, y enlazamos con un atajo de tierra (008) que entre pinos, nos lleva hasta el carrer Nards (009). Cogemos a la izquierda y continuamos 90 m hasta enlazar a la derecha con una pista (010) que nos lleva hasta el carrer LLuna. Giramos a la derecha y, a escasos metros, nos desviamos a la izquierda para descender directamente hasta Cala Falcó, que bordeamos por el oeste escalando por una pista pedregosa y con tramos bastantes técnicos.

Nos dirigimos hacia la Cala de Sa Nostra Dona. En este tramo debemos tener precaución (011) por ser complicado el acceso hasta la misma playa. Abandonamos la cala por una pista de tierra por la que ascendemos hasta llegar a la Av.Mallorca (012).
Cogemos a la izquierda, hacia el sur, hasta alcanzar la encrucijada en donde muere a nuestra izquierda el carrer Montealegre. Giramos a la

derecha y enlazamos con una pista por la que descendemos hasta alcanzar la Playa del Rei.

Atravesamos la playa, escalamos por una rampa hasta alcanzar un rellano, y volvemos a descender hasta la Playa del Mago.

En la web *platgesdebalears*, leeremos: *"El topónimo de El Mago se utiliza desde 1967, año en que se rodó en su costa la película homónima protagonizada por Anthony Quinn y Michael Caine. Sobre su talud aún quedan restos del decorado, los cuales separan las dos playitas que componen este arenal. Inicialmente este filme se debía filmar en Grecia, pero el golpe de estado de "los coroneles" trastocó los planes, lo que supuso la elección de Mallorca como su plató."*

Atravesamos la playa y, por una escalera sita en la parte izquierda del chiringuito, subimos cargando con la bici y continuamos zigzagueando hasta alcanzar el pavimento. Continuamos a la izquierda y bordeamos Portalls Vells.

Ya desde la anterior Playa del Rei hasta este punto, podremos *apreciar la Cova de la Mare de Deu, efigie venerada hasta mediados del XIX y que, según la tradición, fue dejada por unos marineros genoveses cómo resultado de promesa hecha al haberse evitado un naufragio. El dueño de la cueva, el Marqués de Bellpuig, no autorizó la construcción de un oratorio en sus propiedades con lo que la efigie fue trasladada en 1.866 a la actual Portals Nous, perteneciente a la antigua posesión de Bendinat del Marqués de la Romana. Dentro de la antigua la cueva, que conserva el altar y varios detalles decorativos tallados en la pared, ahora hay una nueva imagen de la Madre de Dios.*

Desde la Punta de Xisclet, en donde podemos disfrutar de fantásticas vistas, nos dirigimos hacia el sur, bordeando la costa por un terreno pedregoso y con tramos técnicos, hasta alcanzar, al sur de la Punta des Cavall, el caló en Beltrán. Retrocedemos sobre nuestros pasos hasta desviarnos a la izquierda y alcanzar la carretera de Cala Figuera (020).

Giramos a la izquierda y nos dirigimos por una pista pavimentada, cómoda, hasta la *antigua torre de defensa, datada en el 1.579, y que domina el acantilado al oeste de Faro de Cala Figuera*. Desde aquí, podremos disfrutar de unas bellísimas vistas.

Acudiendo a *Wikipedia*, podemos leer lo siguiente: "*El Faro fue inaugurado en 1.860 clasificado como faro de 6º orden, en realidad se montó un aparato óptico de 5º orden, con luz blanca fija y lámparas de nivel constante. En 1.919 se instalaron pantallas giratorias para producir una característica de 2 ocultaciones cada 10 segundos y se cambió la alimentación a acetileno con gasógeno. En 1.950 se estropeó el sistema de acetileno y se pasó a una lámpara Maris o Aladino (se usaron ambas alternativamente).*

En 1.962 realizaron extensas modificaciones en las que se recreció la torre en 10 metros, se sustituyó la vieja linterna por una aeromarítima, se electrificó el faro, instalándose una lámpara de 1.500 w y una nueva óptica de 4º orden cambiándose la característica a un grupo de 4 destellos cada 20 segundos, que mantiene en la actualidad y finalmente fue pintado con unas características bandas negras helicoidales.

En septiembre de 1.970 se instaló un radiofaro que fue sustituido posteriormente por un *Sistema de Posicionamiento Global diferencial (DGPS).*

El faro emite grupos de cuatro destellos de luz blanca en un ciclo total de 20 segundos. Sólo es visible en el sector entre 293° a 094°. Su alcance nominal nocturno es de 15 millas náuticas. Tiene una señal sonora que emite dos señales de dos segundos de duración en un ciclo de 10 segundos."

Volvemos sobre nuestros pasos, en leve y progresiva subida, hasta desviarnos a la derecha (022) y descender por una pista que nos conecta con la carretera (023) (a la derecha se encuentra a Portals Vells) y que, tras girar a la izquierda, nos devuelve a la carretera de Cala Figuera.

Continuamos hacia el norte hasta toparnos con un cruce (024) que a la derecha y por pavimento, llega hasta la playa del Mago. **SIN** continuar por el Camí de Cala Figuera y en el mismo cruce, cruzamos la carretera de la derecha para, justo en frente, enlazar con una pista de tierra.

Al poco de cogerla, descendemos sobre un terreno arenoso y resbaladizo para, tras un tramo llano, escalar una corta pero abrupta rampa con gran desnivel. Entre almendros, atravesamos a la derecha una valla de piedra (025). Nos desviamos a la izquierda y, atravesando un bonito pinar, enlazamos de nuevo con la Av.Mallorca.

Giramos a la izquierda (dejamos a la derecha la anterior marca 012) y continuamos 540 m hasta desviarnos a la derecha (026) y descender 1 km por una pista estrecha, sorteando algunos saltos y peraltes.

Ya en ascenso y a escasos 50 m, nos topamos con una pista que cogemos a la izquierda y por la que continuamos 100 m hasta alcanzar el carrer LLuna. Cogemos a la izquierda y ascendemos hasta llegar al carrer Rosa (027).

Ya prácticamente, todo el tiempo, pedalearemos por zona urbana, salvo un tramo que indicaremos más adelante. Atentos a la marca 028 en donde podremos apreciar el *Monumento Arqueológico de la Naveta Alemany.*

Podremos leer en *Wikipedia*: *"La **Naveta Alemany** es un nevatiforme prehistórica. Aunque haya cierta controversia actual sobre la cronología de estas estructuras la idea más aceptada actualmente entre los arqueólogos es que fue erigida en la Edad de Bronce, concretamente durante el Bronce Medio, que en Mallorca y Menorca recibe el nombre de Fase Naviforme (c. 1600/1500-850 cal a.C.). Su funcionalidad era, principalmente, la de espacio doméstico. Se trata de una naveta de habitación; una estructura de planta alargada, con un ábside redondeado y con la entrada orientada, generalmente, hacia el sur. No se ha aplicado el análisis radiocarbónico a los elementos del conjunto, por lo que no se dispone de una datación precisa. Sin embargo, gracias a los restos materiales hallados —elementos de industria ósea, litica, cerámicas de la fase naviforme o un pequeño puñal de bronce— puede ubicarse en los etapas historiográficas anteriormente citadas.*

En relación a este asunto, el arqueólogo e historiador Guillermo Rosselló Bordoy, asegura en la obra Las navetas de Mallorca lo siguiente: Esta naveta cae de lleno dentro de los límites del pretalayótico final; actualmente este periodo es conocido como naviforme. Pues la cerámica, con predominio de formas globulares y cuencos, es de clara tipología pretalayótica, [...] Sin embargo, pese a los adelantos obtenidos los interrogantes siguen siendo numerosos y muchas de las preguntas planteadas siguen sin contestación [...] pues no es posible determinar si elementos concretos son de un habitamiento talayótico a una construcción precedente o si las navetas excavadas, que no han proporcionado restos de este tipo , en un momento indeterminado de su uso los perdieron y llegaron a nosotros faltas de un elemento estructural propio del momento de su construcción inicial. Fue descubierta a finales de los años 1.960, durante los trabajos de construcción de la carretera que une Magalluf y Sol de Mallorca. En 1.971, se llevaron a cabo una serie de trabajos de excavación dirigidos por Catalina Enseñat, en los que se descubrió que el ábside del navetiforme había sido espoliado. Posteriormente, entre los años 1.997 y 1.998, un equipo del Consejo Insular de Mallorca excavó nuevamente el yacimiento incidiendo en el estudio de aquellas partes obviadas por el equipo arqueológico de Enseñat. Además, se previó su restauración, aunque finalmente esta fue pospuesta. No fue hasta 2.009 cuando el ayuntamiento de Calviá la incluyó dentro del plan de recuperación del patrimonio del municipio. Los trabajos se iniciaron en 2.010 y se prolongaron durante dos años.

Es una construcción aislada, está compuesta por un único elemento. La altura de su muro exterior oscila entre los uno y dos metros de altura, según el punto desde el que se mida. Las estructuras que se conservan se corresponden, aproximadamente, con una porción comprendida entre el diez y el cincuenta por ciento del navetiforme *original. Es destacable el hecho de que muchos de los bloques son originales, aunque durante los distintos procesos de conservación y restauración que se han llevado a cabo fue necesario añadir algunos artificiales para mantener la estabilidad, atendiendo a que está ubicada sobre un terreno en pendiente.*

Su nombre se debe al farmacéutico y bibliófilo menorquín Luis Alemany, propietario de la parcela en el momento en el que se encontró el yacimiento que además financió los primeros trabajos de excavación dirigidos por Catalina Enseñat en los años 1.970."

Por zona urbana, circulamos por el carrer Greco hasta toparnos con una rotonda que, abandonando por la 2ª salida, continúa por el carrer Góngora y el carrer Miño. Alcanzamos otra rotonda que dejamos por la 2ª salida y que nos conecta con la Av.de l'Olivera. Continuamos 200 m y sorteamos a la izquierda (029), unos escalones que enlazan con el carrer Duero y por el que ascendemos hasta alcanzar una rotonda en donde se ubica la Escoleta Municipal de Magalluf. Se continúa por la 2ª salida hasta llegar a otra rotonda, en donde a nuestra izquierda, nos adentramos por una pista estrecha que, tras 850 m, nos lleva hasta el Vial de Calvià. Cogemos a la derecha y descendemos escasos metros hasta atravesar a nuestra izquierda la MA-1C. **SIN** continuar a nuestra derecha por el Vial, enlazamos, justo en frente, con una pista que nos lleva hasta el Centro de Salud Palmanova Na Burguesa. Volvemos a enlazar con el Vial y continuando por la izquierda, llegamos al punto de origen en Son Caliu. Fin de ruta.

puntos de interés

001 Carrer Greco a la izquierda-Principio de pista

002 Fin de pista-Av.de la Badia de Palma

003 Principio de pista

004 Fin de pista-Carrer Puig de la Mar

005 Dejamos Carrer Ulises-Principio de pista

006 Cala Vinyes

007 Fin de pista-Carrer Sol

008 Principio de pista

009 Fin de pista-Carrer Nards

010 Principio de pista

011 Precaución-Tramo muy técnico-Caló de Sa Nostra Dona

012 Fin de pista-Av.Mallorca

013 Principio de pista

014 Playa del Rei

015 Playa del Mago

016 Fin de pista

017 Principio de pista

018 Punta de Xisclet

019 Caló en Beltrán

020 Carretera de Cala Figuera

021 Faro de Cala Figuera-Torre de Defensa

022 Principio de pista

023 Fin de pista

024 Principio de pista

025 Valla de piedra

026 Principio de pista

027 Fin de pista-Carrer Rosa

028 Talaiot

029 Escaleras-Carrer Duero

030 Principio de pista

031 Fin de pista

Marcas de Posición

Punto de partida: Son Caliu. Ctra.Andratx. Debemos seguir la siguiente secuencia para alcanzar la marca 001:

- Nos dirigimos al oeste, hasta el Restaurante Mesón Son Caliu, para coger a la izquierda la Av. Son Caliu y el carrer Mar Caribe.

- Giramos a la izquierda, escasos metros, por el carrer Toledo, y enlazamos a la derecha con el carrer Mestre Nicolau.

- Continuamos rectos hasta alcanzar la Av. De la Platja que cogemos a la izquierda en dirección al mar.

- Al llegar al Passeig Mar, giramos a la derecha y continuamos hasta enlazar con el carrer Germans Pinzón, Av. de Son Maties, Av.Pere Vaquer, Av.Magaluf y la Av.Notari Alemany y que, al enlazar a la derecha con el carrer Greco, nos lleva a la marca 001.

001 Comienza la pista de tierra dejando a la derecha el carrer Greco. La última parte, pica hacia arriba por un suelo pedregoso. En el caso de que este acceso estuviera cerrado, bastará con continuar a la izquierda por la Av. Notari Alemany, hasta enlazar con la Av.Badía de Palma y alcanzar igualmente la marca 002.

002 Final de pista. Se enlaza con la Av.Badía de Palma. Cogemos a la izquierda y se continúa ascendiendo 100 m para enlazar a la izquierda con un principio de pista.

003 Principio pista. Seguimos 100 m hasta el carrer Puig de la Mar.

004 Fin de pista. Carrer Puig de Mar. Cogemos 80 m a la derecha hasta el carrer Ulises y continuamos a 230 m hasta atravesar la calle a la izquierda, sortear el escalón de la acera y enlazar con un sendero de tierra.

005 Dejamos el carrer Ulises-Principio de pista. Descendemos sobre un suelo arenoso y entre vegetación, que nos lleva hasta Cala Vinyes.

006 Cala Vinyes. Abandonamos la playa ascendiendo 330 m por una pista arenosa que nos lleva hasta el carrer Sol.

007 Giramos a la izquierda hasta toparnos con el carrer LLuna, que cruzamos.

008 Nos adentramos en un bosque, que entre pinos, nos lleva hasta carrer Nards.

009 Continuamos 90 m a la izquierda hasta enlazar a la derecha con un principio de pista.

010 Principio de pista que nos lleva hasta el carrer Lluna. Cogemos a la derecha, a escasos metros nos desviamos a la izquierda y descendemos 450 m hasta alcanzar Cala Falcó. Abandonamos la cala por el oeste y continuamos 350 m, por diversos tramos técnicos y pedregosos, hasta desviarnos a la izquierda.

011 Precaución. Conviene bajarse de la bicicleta hasta alcanzar la misma playa de Sa Nostra Dona. Desde la playa, ascendemos 1.200 m hasta alcanzar la Av.Mallorca.

012 Av.Mallorca. Cogemos a la izquierda por pavimento, y continuamos 680 m hasta alcanzar la encrucijada en donde muere a nuestra izquierda el carrer Montealegre.

013 Principio de pista. Descendemos 470 m hasta alcanzar la Playa del Rei.

014 Playa del Rei. Atravesamos la playa, ascendemos por una rampa hasta llegar a un rellano, y volvemos a descender hasta la Playa del Mago.

015 Playa del Mago. Atravesamos la playa y, por una escalera sita en la parte izquierda del chiringuito, subimos casi todo el tramo a pie hasta alcanzar el pavimento en la marca 016.

016 Fin de pista. Giramos a la izquierda en dirección Portals Vells. Ascendemos buscando un cruce que cogemos a la izquierda.

017 Principio de pista. Escalamos 350 m, por un pavimento en malísimo estado, y nos desviamos a la izquierda hasta alcanzar la Punta de Xisclet. Buenas vistas.

018 Punta de Xisclet. Bordeamos el acantilado, 830 m, por tramos muy pedregosos y técnicos, hasta alcanzar de bajada, Caló en Beltrán.

019 Caló en Beltrán. Volvemos sobre nuestros pasos 110 m, cogemos a la izquierda y continuamos 1 km hasta alcanzar la carretera de Cala Figuera en la marca 020.

020 Giramos a la izquierda y en ligera pendiente hacia abajo, seguimos 2.200 m hasta llegar el Cabo de Cala Figuera.

021 Torre de defensa y Faro de Cala Figuera. Buenas panorámicas. Retrocedemos por la misma carretera 2.600 m, y nos desviamos a la derecha por un principio de pista (022).

022 Descendemos 610 m y nos topamos con la carretera (a la derecha está la playa de Portals Vells).

023 Fin de pista. Cogemos a la izquierda y ascendemos 500 m hasta alcanzar el Camí de Cala Figuera. Giramos a la derecha y, a 660 m, alcanzamos el cruce en que se indica el *acceso a la playa del Mago* (024).

024 SIN continuar por el Camí de Cala Figuera y en el mismo cruce, cruzamos la carretera de la derecha (la que va a la Playa del Mago) para, justo en frente, enlazar con un principio de pista.

Descendemos sobre un suelo arenoso con una fuerte pendiente, algo técnica, y tras llanear escasos metros, nos topamos con una subida corta pero con un gran desnivel. Continuamos entre almendros y a la derecha atravesamos una valla de piedra.

025 Valla de piedra. Giramos a la izquierda y pedaleamos 780 m entre pinos hasta toparnos de nuevo con la Av.Mallorca (012). Nos desviamos a la izquierda y seguimos 540 m hasta alcanzar a la derecha un principio de pista.

026 Principio de pista. Descendemos 1 km. A continuación ascendemos 50 m hasta toparnos con una pista que cogemos a la izquierda. Ascendemos 100 m hasta alcanzar el carrer LLuna y, tomando a la izquierda, continuamos escalando 540 m hasta enlazar con el carrer Rosa.

027 Fin de pista. Carrer Rosa. Cogemos a la derecha y circulamos 490 m hasta toparnos con la Naveta de Alemany.

028 Talaiot. Naveta de Alemany. De bajada y tras una curva a la derecha y a continuación a la izquierda, alcanzamos una rotonda y cogemos la 2ª salida para enlazar con el carrer Góngora y el carrer Miño. Atravesamos otra rotonda y cogemos la 2ª salida, enlazando con la Av. de l'Olivera. A 200 m, a la izquierda, vemos unas escaleras en donde comienza el carrer Duero.

029 Escaleras carrer Duero. Tras sortear los escalones, ascendemos hasta alcanzar la Escoleta Municipal de Magalluf. Cogemos la 2ª salida de la rotonda y llegamos a otra rotonda para, a la izquierda, enlazar con un principio de pista.

030 Principio de pista. Ascendemos hasta toparnos con una valla de metal. Cogemos a la derecha y descendemos 650 m para conectar con el Vial. Ya en el Vial, cogemos a la derecha y descendemos escasos metros para atravesar a la izquierda la MA-1C. Sin continuar a la derecha por el Vial, enlazamos, justo en frente, con una pista que, entre almendros, nos lleva hasta el Centro de Salud Palmanova Na Burguesa (031).

031 Fin de pista. Buscamos el Vial. Se continúa a la izquierda, atravesamos una rotonda y, poco más adelante, volvemos a nuestro punto de origen. Fin de ruta.

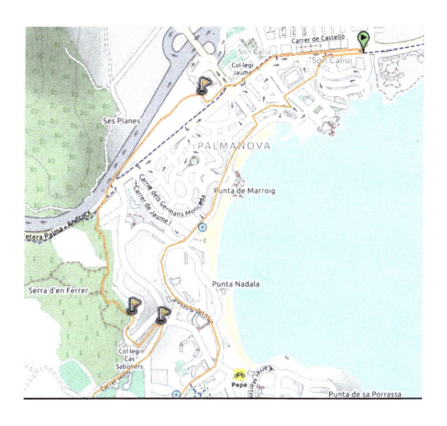

Cap de Cala Figuera

15.-Ruta 06-04-03-Vall Verda-Galilea-Son Font

Comarca: Serra de Tramuntana

Municipio: Calvià

Longitud: 33,80 km

Tiempo estimado: 3h 08'

Desnivel positivo: 751 m

Desnivel negativo: 748 m

Dificultad técnica: Fácil

Dureza: Moderada

% de pistas: 44,97 %

% de pavimento: 55,03 %

Descripción General:

Ruta de dureza moderada y técnicamente fácil, saliendo del Instituto de Educación Secundaria de Calvià, que discurrirá por Peguera, Es Capdellá, La Finca Galatzó, Galiela, Son Font, Calvià y Torrent de Cohans. Iremos por:

-Peguera.

-Vall Verda.

-Es Capdellá.

-Pista entre Es Capdellá y la Finca de Galatzó.

-Galilea.

-Tramo entre Coll des Moli de Venty Calviá por el Conjunto Etnográfico de Son Font.

-Torrent de Cohans.

Cogemos el Vial, al lado del Molino de Santa Ponça, y ascendemos 2 km hasta llegar a la cumbre. Tras 1.500 m de bajada, bordeamos Peguera por el este, buscando la MA-1012 que va a Es Capdellá.

En *Wikipedia* podremos leer: *"Peguera significa horno de brea por haber sido antaño lugar de fabricación de brea con la resina de sus pinos. Antaño se embarcaban aquí las cosechas de almendra recogidas en el municipio hacia los puertos de la península ibérica.*

En sus costas desembarcó Pedro IV en 1343 cuando acudió a reconquistar la isla del reinado de Jaime III. Los piratas Barbarroja y los hermanos Horuch y Kaid ben Eddin Dragut tuvieron sus incursiones por la zona conocida como Cala Fornells, cuando desembarcaban para llevarse a cautivos esclavizados y posteriormente venderlos en los mercados de Argel.

Una de las primeras construcciones que tuvo la cala en 1926 era ca na taca, reformada por Natacha Rambova que también reformó y decoro la finca conocida como S'estaca, la cual fue un plató cinematográfico de varias películas, entre algunas de ellas podemos nombrar Muerte bajo el sol, con Peter Ustinov, de la escritora de novelas de intriga Agatha Christie. Un asiduo visitante de la finca solía ser el padre del rey Juan Carlos de Borbón, el cual recalaba su barco por estos lugares."

Pedaleamos 3.700 m por la carretera y, tras alcanzar la marca 002, nos desviamos a nuestra izquierda para adentrarnos en el denominado *Vall Verda*. Tras un primer tramo asfaltado, circulamos por una pista de tierra para desviarnos a nuestra derecha (003) y comenzar a escalar 1.800 m hasta toparnos con la MA-1031.

Cogemos a nuestra derecha y bajamos hasta Es Capdellá muy atentos, para en la marca 005, desviarnos a nuestra izquierda por el Carrer Galatzó.

"El nombre de Capdellá, que en catalán significa al final de allá, aparece por primera vez en el Llibre dels estims de la parroquia de Calviá de 1663.

En las afueras, se encuentran algunas posesiones, como Son Vic Nou, Son Vic Vell, sa Cova, Son Hortelà, Son Durí, Son Cabot, sa Coma, Ses Algorfes, Son Alfonso, Son Martí, Son Claret y las casas de Galatzó (antigua finca que fue propiedad de Ramón Burgués-Safortesa i Fuster, conde de Formiguera, uno de los mallorquines más influyentes del siglo XVII). Una leyenda del siglo XIX, inspirada en la del Comte Arnau de Cataluña, cuenta que se convirtió en el Comte Mal, caballero que fue condenado por su crueldad a cabalgar eternamente por las noches sobre un caballo negro envuelto en llamas.

El origen de Capdellá fue la concentración de jornaleros agrícolas de las posesiones del obispo de Barcelona que tenía en régimen de pariaje con el rey.Al principio las casas de estos jornaleros se agruparon en tres bloques, el que ahora constituye el núcleo urbano, el del Serral (en la actualidad unido al anterior) y el de la Vallverda."

Seguimos rectos por el carrer Galatzó y, en Coll Goma, franqueamos una pequeña barrera de madera. Continuamos hasta la marca 007, en donde se despliega un indicador en donde reza *Ses Planes*. Giramos 360 grados hacia la derecha.

Circulamos 1.500 metros y, a mitad de este tramo, atravesamos una puerta ancha de madera tras la que, a escasos metros, alcanzamos la MA-1032. Giramos a la izquierda (009), ascendemos 4.700 m y, tras descender 1.200 m, alcanzamos a nuestra derecha el Coll de Molí des Vent (010).

Atravesamos Galilea de la que *Wikipedia* nos dice: *"Época talayótica y época romana*

De esta época se tienen pocos datos, cerca de Galilea, se encuentra la cueva de Salvador donde, según fuentes orales, se encontraron, en una de las salas, enterramientos de inhumación y restos cerámicos talayóticos y romanos.

Edad Media, época islámica

Forma parte del juz' d'Al-Ahwâz (Palma de Mallorca) La tribu que habitaba la zona eran los Gumâra. En los alrededores se situaban varios núcleos islámicos: Albussa, ahora Son Cortei; Arratxa, ahora Es Ratxo; el Palmer, ahora Son Net y Benifatxo, ahora Son Martí. Conquistada por las tropas cristianas, junto a toda la sierra de Tramuntana, en el año 1231.

Edad Media, época cristiana

Reparto de Mallorca: En el "Llibre del repartiment de Mallorca" (1232) forma parte de la porción que pertenece a Berenguer de Palou, obispo de Barcelona. Desde 1323 hasta 1811 toda esta zona se integra en la baronía del Pariatge .

Hasta finales del siglo XVI Son Cortei (antes Albussa) se extendía por todo el territorio que más o menos ocupa hoy día, además de la montaña donde se asienta el núcleo de Galilea, es decir, desde Sa Mola hasta Sa Roteta. De hecho, en ésta época la ladera de la montaña donde nacerá Galilea se denominaba la Mola d'en Cortei. Hasta 1555 Son Cortei tenía un rafal agregado (hoy en día Son Perdiu). En este año, Bartomeu Cortei dividió la heredad en dos partes: el rafal quedó en manos de su hijo segundo, también llamado Bartomeu, mientras que la finca mayor (Son Cortei) pasó al primogénito Jordi. Bartomeu dejó en herencia el rafal a su hijo Gabriel el 17 de agosto de 1586. Será éste quien, a partir de 1595, inició un proceso de establecimiento de su propiedad que generó diversas piezas de tierra, las cuales en 1685 sumaban ya 21, la base del actual núcleo urbano. En 1769 ya sumaban 80.

Sobre el origen del topónimo, otorgado en esta época, no se tiene evidencia documental. La tradición oral apunta que la misma familia Cortei decidió que Sa Mola se llamase Galilea, por su gran semejanza con la región palestina.

Siglos XVIII y XIX

En el año 1788 se decide construir una iglesia, ya que hasta la fecha los habitantes de Galilea bajaban hasta la parroquia de Puigpunyent para oír misa. Las gestiones fueron realizadas por Mn. Pedro Rubio, Obispo de Mallorca, después de su visita a Galilea, promovidas por Antoni Barceló i Pont de la Terra, Teniente General de la Armada Real y propietario de Conques y por su hijo, Onofre Barceló, Canónigo de la Catedral de Palma. No es hasta el 3 de diciembre de 1806 que se coloca la primera piedra de la iglesia y empieza la construcción. Su gran promotor, Antoni Barceló i Pont de la Terra, murió antes de verla construida y se encargó su hijo. Cuatro años más tarde, el 2 de febrero de 1810, se bendice la iglesia y se celebra la primera misa. La iglesia fue erigida vicaría in capite bajo la advocación de la Inmaculada Concepción, dependiendo de la parroquia de Puigpunyent. Dos años más tarde, en 1812, se acaban la vicaría y el cementerio, situados junto al templo.

A mediados del siglo XIX, la agricultura es la base de la economía. Está basada en los cultivos de almendros, olivos y algarrobos. También hay grandes actividades de explotación de los recursos del bosque, como la recolección de leña, la recogida de hojas de palmito, la producción de carbón vegetal, la fabricación de cuerdas y la práctica del contrabando."

Saltamos la valla de metal que, sita en el Coll des Molí de Vent, nos adentra en el Camí Vell de Calvià a Puigpunyent. El camino discurre por una pista estrecha, con el suelo muy pedregoso, y en donde debemos pedalear con precaución, muy atentos al barranco que nos franquea a nuestra derecha. A alrededor de 600 m, nos topamos con un indicador de la *GR-221-Calvià* (011). Continuamos 1.200 m, hasta la encrucijada 012, en donde giramos a nuestra derecha hasta alcanzar una barrera que debemos saltar. Se continúa recto hasta el fin de pista en la marca 014 (Camí de Na Morruda).

Penetramos en zona urbana y, de bajada con fuertes pendientes, buscamos el Camí de Pou Nou en la marca 015, para en seguida enlazar con un principio de pista. Descendemos 500 m, por una pista muy técnica, hasta alcanzar el Conjunto Etnográfico de Son Font. En el mismo punto (017), podremos leer:

"Conjunto etnográfico de Son Font

Conjunto etnográfico compuesto por los restos de un horno de cal y sitja de carbonero, cuya funcionalidad estaría relacionada con la explotación de los recursos forestales para la obtención de cal y carbón vegetal, actividades artesanales desarrolladas tradicionalmente en los bosques de la Serra de Tramuntana hasta la segunda mitad del siglo XX.

Relacionado con estos elementos se localiza un aljubet, depósito cubierto destinado a almacenar el agua procedente de las escorrentías de terreno. Presenta planta rectangular y cubierta abovedada, con una rampa de acceso en uno de sus lados cortos."

Descendemos hasta alcanzar el Camí des Molí des Castellet y el carrer Son Mir. Al final del carrer Son Mir, tomamos a nuestra izquierda por el carrer dels Moncada hasta enlazar con la MA-1015. La atravesamos y enlazamos con el carrer de Ca na Cucó. Nos topamos con el carrer Vicente Chinchilla que cogemos a nuestra derecha. Continuamos hasta enlazar con el Camí de Son Malero que termina en el Camí de Son Pillo. Cogemos a nuestra izquierda y continuamos 400 m para desviarnos a la derecha por una pista de tierra que desciende y que enlaza con el Barranc de Cohans (020).

Pedaleamos por el barranco a lo largo de 3 km para llegar a nuestro punto de origen. Fin de ruta.

puntos de interés

001 Final Vial

002 Vall Verda-Principo de pista

003 Principio subida

004 Fin de pista

005 Indicador Galatzó MTB-Principio de pista

006 Atravesar valla-Coll Goma

007 Indicador de Ses Planes-Giramos 360 grados

008 Atravesar barrera

009 Fin de pista-Ma-1032

010 Salta valla-Coll des Molí de Vent-Principio de pista

011 Indicador GR-221-Calvià

012 Encrucijada-Coger derecha

013 Saltar barrera

014 Fin de pista-Cami de Na Morruda

015 Cami des Pou Nou

016 Principio de pista

017-Conjunto etnografico de Son Font

018 Fin de pista

019 Cami de Son Pillo-Indicador Sta Ponça

020 Principio de pista-Barranc de Cohans

021 Fin de pista

<u>Marcas de Posición</u>

Punta de partida. Se parte de las proximidades del Molino de Santa Ponça, junto a la Urbanización Galatzó, y cogemos el Vial en sentido Peguera por el que pedaleamos 3.500 m.

001 Termina el Vial y circulamos, escasos metros, por al carrer Pau Cassals, para desviarnos inmediatamente a la derecha. Buscamos la carretera que va hacia Es Capdellá (MA-1012) y que alcanzamos tras el paso por tres rotondas. Desde la última rotonda hasta el desvío en la siguiente marca, a nuestra izquierda, pedaleamos casi 3 km y medio.

002 Vall Verda. Circulamos 1.500 m hasta alcanzar a la siguiente marca. Nos desviamos a nuestra derecha donde empieza la subida.

003 Principio de subida. Ascendemos 1.600 m por un camino arenoso hasta enlazar con la MA-1031.

004 Fin de pista. Cogemos a nuestra derecha por la MA-1031 y descendemos 800 m.

005 Indicador Galatzó MTB. Carrer de Galatzó. A 2 km se atraviesa una pequeña valla de madera.

006 Atravesar valla-Coll Goma. Se atraviesa y se continúa 1.700 m.

007 Indicador de Ses Planes. Cogemos a nuestra de derecha y continuamos en ligera bajada, 1 km, hasta toparnos con una puerta de madera.

008 Tras cerrar la puerta, continuamos hasta alcanzar a carretera MA-1032.

009 Fin de pista. Cogemos a nuestra izquierda en sentido Galilea y escalamos 4.700 m. Tras la cumbre, continuamos 1.200 m de bajada hasta alcanzar a nuestra derecha el Coll des Moli de Vent.

010 Coll des Moli de Vent. Saltamos la valla de metal. A lo largo de 700 m, la pista de tierra pica hacia arriba con algunos desniveles superiores al 7%.

011 Indicador de GR-221-Calviá.Continuamos 1.100 m por la pista, que sigue picando ligeramente hacia arriba, y por un roquedo con un barranco a nuestra derecha. Precaución.

012 Coger a la derecha y continuar hasta alcanzar la barrera de metal.

013 Saltar barrera. En seguida enlazamos con el Camí de Son Font. Continuamos 1.200 m para llegar a la siguiente marca de posición.

014 Fin de pista. Camí de Na Morruda. Atravesamos diversas casas, descendiendo 1.250 m hasta un desvío a la derecha por el Camí d'es Pou Nou.

015 Camí des Pou Nou. A escasos metros iniciamos pista.

016 Principio de pista. Iniciamos bajada técnica hasta alcanzar la siguiente marca a 450 m.

017 Conjunto etnográfico de Son Font. Se continúa 520 m hacia el sur.

018 Fin de pista. Nos dirigimos hacia la villa de Calviá. Descendemos hasta alcanzar el Camí des Molí des Castellet y a continuación el carrer Son Mir. Al final del carrer Son Mir, cogemos a nuestra izquierda el carrer dels Moncada hasta alcanzar la MA-1015. La atravesamos y enlazamos con el carrer de Ca na Cucó hasta toparnos con el carrer Vicente Chinchilla que tomamos a nuestra derecha. Continuamos hasta enlazar con el Camí de Son Malero y que termina en el Camí de Son Pillo que cogemos a nuestra izquierda.

019 Camí de Son Pillo. Indicador Sta.Ponça. Nos dirigimos 400 m hacia el sur y nos desviamos a nuestra derecha por un principio de pista en pendiente hacia abajo.

020 Principio de pista. Barranc de Cohans. Atravesamos el cauce del torrente en 4 ocasiones y tras 3 km alcanzamos el final de ruta.

021 Fin de pista. Fin de ruta.

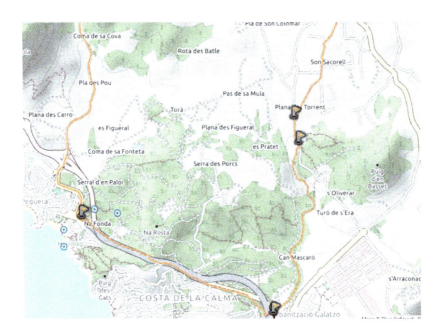

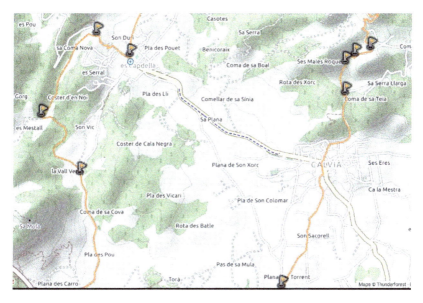

16.-Acceso a Rutas para GPS

-Enviar un correo a mallorcamtb@mallorcamtb.com, incluyéndose en el "Asunto" el lugar en donde se ha adquirido la presente Guía. A la mayor brevedad posible, el remitente recibirá por e-mail todos los tracks incluidos en el libro.

-Accediendo en facebook a la página https://www.facebook.com/Cicloturismo-de-MTB-en-Mallorca-502567949954222/, podrá obtenerse información sobre las distintas novedades e información de las rutas.

Aviso importante: Es importante que los ciclistas se ciñan estrictamente a las rutas incluidas en el libro, evitando las zonas privadas y el vertido de papeles, plásticos, envoltorios y otros elementos que ensucien y perjudiquen el medio ambiente.

El autor no se hace responsable de cualquier accidente que pueda padecer cómo consecuencia del uso de las rutas aquí incluidas. No debemos olvidar que la práctica del ciclismo de montaña, implica ciertos riesgos, especialmente en los tramos compartidos con otros vehículos de motor y en los tramos técnicos.

-Email mallorcamtb@mallorcamtb.com, stating where you purchased the book. In return, you will receive an email detailing all the routes featured in the book.

-On the following facebook profile https://www.facebook.com/Cicloturismo-de-MTB-en-Mallorca-502567949954222/ you will find news and updated information about the routes.

Important: We strongly recommend cyclists follow the routes as set out in the book, in order to avoid invading private property. Likewise you are asked to respect the environment when it comes to disposing of refuse, paper, plastic, etc.

The author is not to be held responsible for any accidents which may occur as a consequence of using the featured routes. We must not forget that mountain biking involves taking certain risks, especially on tracks shared with motor vehicles and during technical stages.

Índice